73

EL VERGONZOSO EN PALACIO

EL BURLADOR DE SEVILLA
Y CONVIDADO DE PIEDRA

COLECCIÓN AUSTRAL
N.º 73

ESPASA
S A
C
CALPE S.A.

TIRSO DE MOLINA

EL VERGONZOSO EN PALACIO

EL BURLADOR DE SEVILLA Y CONVIDADO DE PIEDRA

DÉCIMA EDICIÓN

ESPASA-CALPE, S. A.
MADRID

Ediciones para la

COLECCIÓN AUSTRAL

Primera edición:	*5 -*	*V*	*- 1939*
Segunda edición:	*13 -*	*VII*	*- 1943*
Tercera edición:	*19 -*	*VI*	*- 1946*
Cuarta edición:	*24 -*	*V*	*- 1951*
Quinta edición:	*3 -*	*I*	*- 1958*
Sexta edición:	*18 -*	*X*	*- 1961*
Séptima edición:	*19 -*	*VIII*	*- 1964*
Octava edición:	*26 -*	*XI*	*- 1966*
Novena edición:	*2 -*	*III*	*- 1970*
Décima edición:	*2 -*	*VI*	*- 1976*

Depósito legal: M. 18.149—1976

ISBN 84—239—0073—8

Impreso en España
Printed in Spain

Acabado de imprimir el día 2 de junio de 1976

Talleres tipográficos de la Editorial Espasa-Calpe, S. A.
Carretera de Irún, km. 12,200. Madrid-34

ÍNDICE

EL VERGONZOSO EN PALACIO

PRÓLOGO A LA REPRESENTACIÓN

Cuatro horas había que el mayor de los planetas cargaba en las Indias del oro que desperdicia pródigo con nosotros cada día —pues a no venir con nuevos tesoros, cansara el verle tan a menudo—, cuando en la mayor de las hermosas salas que en Buenavista conserva la memoria de su ilustrísimo dueño (fábrica digna de la mayor mitra del mundo), aguardaba la comedia el más bello e ilustre auditorio que dió estimación al Tajo y soberbia a sus aguas por verse trasladadas de cristales en soles —si no es baja ponderación ésta para quien conoce la excelencia de las caras de Toledo—. Alumbraban el dilatado salón doce blandones, ardiendo en ellos la nieve transformada en cera, parto de las repúblicas aunque pequeñas aves, y afeite del sol que en la espaciosa Vega la convierte de oro en cristal. Ocupaba los estrados, tribunal de la hermosura, toda la que era de consideración en la imperial ciudad, y se realzaba con la nobleza. A otro lado el valor de sus caballeros honraban las sillas, en cuyos diversos semblantes hacía el tiempo alarde de sus edades: en unos, echando censos a la juventud, de oro; y en otros, cobrando réditos de la vejez, en plata.

Intitulándose la comedia *El vergonzoso en palacio*, celebrada con general aplauso (años había), no sólo entre todos los teatros de España, pero en los más célebres de Italia y de entrambas Indias, con alabanzas de su autor, pues mereció que uno de los mayores potentados de Castilla honrase sus musas y ennobleciese esta facultad con hacer la persona del *Vergonzoso* él mismo, quedándolo todos los que la profesan de verle aventajar, en un rato deste lícito entretenimiento, sus muchos años de estudio.

Los que entraban en ella eran de lo más calificado de su patria; y las damas, Anarda, Narcisa, Lucinda y doña Leocadia, ilustres como hermosas y milagros de la hermosura; con que quedó la representación autorizada como merece, pues si los sujetos que la ponen en práctica no la desdoran, ella, por sí misma, es digna de suma estimación y alabanza, principalmente saliendo tan acendrada (el día de hoy) de los que sin pasión y con suficiencia tienen a su cargo el expurgarla de palabras y acciones indecentes.

Salieron, pues, a cantar seis con diversidad de instrumentos: cuatro músicos y dos mujeres. No pongo aquí, ni lo haré en las demás, las letras, bailes y entremeses, por no dar fastidioso cuerpo a este libro, ni quebrar el hilo al gusto de los que le tuvieron en ir leyendo sucesivamente sus comedias. Baste para saber que fueron excelentes el dar por autores de los tonos a Juan Blas, único en esta materia; a Álvaro, si no primero, tampoco segundo, y al licenciado Pedro González, su igual en todo, que habiendo algunos años sutilizado la melodía humana, después, por mejoralla, tomó el hábito redentor de Nuestra Señora de la Merced, y en él es fénix único, si en el siglo fué canoro cisne. Los entremeses fueron de don Antonio de Mendoza, cuyos sales y conceptos igualan a su apacibilidad y nobleza; y los bailes, de Benavente, sazón del alma, deleite de la naturaleza y, en fin, prodigio de nuestro Tajo. Y si por sus dueños ganaron fama, no la perdieron por los que en Buenavista los autorizaron hoy. Esto, pues, supuesto, y entrados los músicos, salió el que echaba la *Loa*, que fué la que sigue:

LOA

Llamó Jerjes (gran monarca
de Asiria y de Babilonia)
a cortes, en su colonia,
la gente que el Asia abarca.
Y juntos en su comarca,
desde el sagaz griego astuto
hasta el etíope bruto,
quiso que cada nación
le diese un presente y don
en vasallaje y tributo.
Sentóse en un trono de oro,
puesto debajo un dosel,
con más diamantes en él
que vió Oriente en su tesoro.
De Fidias y Cenodoro
labró la mano sutil
una silla de marfil,
perlas y oro, en que publica
que aunque es la materia rica
la vence el primo buril.
Por doce gradas de plata
subían pasos más dignos
que los que en sus doce signos
da el Sol, que dorallos trata.
En fin, la labor remata
una punta de cristal
en forma piramidal
con un carbunco sobre ella,
que imaginó ser estrella
la máquina celestial.
Y vestido el rey asirio
por quitar el resplandor

al Sol, del rico color
que es sangre del pece tirio,
teniendo por cetro un lirio
de oro y zafiros bellos,
y sobre rubios cabellos
la real diadema, quedó
tal, que el Sol imaginó
tener su eclíptica en ellos.

Con esta real apariencia
estaba, cuando, admirados,
le dieron todos, postrados
con humildad, la obediencia.
Y porque hiciese experiencia
del amor que le tenían,
de dos en dos le ofrecían
los más estimados dones
que en las diversas regiones
del mundo sus senos crían.

Oro le daba el arabio,
y plata el indio remoto,
aroma el sabeo devoto,
cristal helado el moravio,
púrpuras el griego sabio,
flechas el tártaro escita,
el persa perla infinita;
Judea, bálsamo puro,
seda el egipcio perjuro,
y pieles, el moscovita.

Y después que, cuanto pudo,
mostró a Jerjes cada cual
su ánimo liberal,
llegó un pastor tosco y rudo,
velloso el cuerpo, y desnudo
lo que la piel no ocultaba
de una onza que llevaba
por ropa; en fin, al villano
que habló al Senado Romano
al vivo representaba.

Y llevando un vaso tosco
de alcornoque, de agua lleno,
dijo, el semblante sereno:
—«Porque mi humildad conozco,
en fe de que reconozco
tu grandeza, a darte vengo
el presente que prevengo,
que, aunque no lo estimarás,
no debo, gran Jerjes, más
de ofrecerte lo que tengo.
»Entre las dádivas ricas
de diamantes, perlas y oro
con que aumentas tu tesoro
y tu majestad publicas,
si la voluntad aplicas
al don que te ofrezco escaso,
podrá ser hagas dél caso,
que el vaso de agua que ves
de mi amor y lealtad es,
aunque pobre, un rico vaso.
»Engastada en él está
mi lealtad; que el don mayor,
no le abona su valor,
mas la fe con que se da.
Ésta es de oro; bien podrá
estimalla tu decoro
e igualarla a tu tesoro,
pues aunque es de agua su vista,
el amor, que es alquimista,
el agua transforma en oro.»
Quedó Jerjes admirado
de que en tan tosca apariencia
se ocultase la elocuencia
con que Tulio es celebrado.
Y dijo: —«Más he estimado
aquesta agua y tu humildad,
que cuanto mi majestad
adorna, aunque la cotejo

con ella, porque es espejo,
en que he visto tu lealtad.
»A premiarte me provoco;
de Grecia te hago virrey,
que en lo mucho tendrás ley,
pues lo tuviste en lo poco.»
Quedó de contento loco
el pastor; y la grandeza
del rey premió con largueza
la voluntad y el afeto
del presente y don discreto,
que el agua fuera bajeza.
...Ilustrísimo Senado,
donde el cielo y la ventura
juntó el valor y hermosura
en el más supremo grado;
imperio que al godo ha dado
inmortal y augusta silla,
y coronando a Castilla
su cabeza te hizo agora,
cuando el Sol la tuya adora
y el Tajo a tus pies humilla:
¿Qué ha de darte un alma pobre
de poca estima y decoro,
pues entre méritos de oro
halla los suyos de cobre?
Agua te dará salobre.
Sé Jerjes en recibilla,
y repara al admitilla
(sin que de vertella trates)
que es oro de mil quilates
el amor del que se humilla;
que consolado me deja,
Toledo, el que prefirió
al oro que el rico dió
la blanca vil de la vieja.
Con ella, pues, me coteja;
y aunque mis prendas son bajas,

me premiarás con ventajas,
advirtiendo tu valor
que el pobre es mal pagador
y como tal paga en pajas.

Entróse, siguiéndose tras él un baile artificioso y apacible, el cual concluído, comenzó la comedia, que es como se sigue:

PERSONAJES

EL DUQUE DE AVERO.
DON DUARTE, ***conde de Estremoz.***
DOS CAZADORES.
FIGUEREDO, ***criado.***
TARSO, ***pastor.***
MELISA, ***pastora.***
DORISTO, ***alcalde.***
MIRENO, ***pastor.***
LARISO, ***pastor.***
DENIO, ***pastor.***
RUY LORENZO, ***secretario.***
VASCO, ***lacayo.***
DOÑA JUANA.
DOÑA MADALENA.
DON ANTONIO.
DOÑA SERAFINA.
UN PINTOR.
LAURO, ***viejo pastor.***
BATO, ***pastor.***
UN TAMBOR.

REPRESENTÓLA SÁNCHEZ, ÚNICO EN ESTE GÉNERO

(La escena es en Avero y en sus cercanías)

ACTO PRIMERO

Salen el Duque de Avero, *viejo, y el* Conde de Estremoz, *de caza*

Duque. De industria a esta espesura retirado
vengo de mis monteros, que siguiendo
un jabalí ligero, nos han dado
el lugar que pedís; aunque no entiendo
con qué intención, confuso y alterado,
cuando en mis bosques festejar pretendo
vuestra venida, conde don Duarte,
dejáis la caza por hablarme aparte.

Conde. Basta el disimular; saca el acero,
que, ya olvidado, os comparaba a Numa;
que el que desnudo veis, duque de Avero,
os dará la respuesta en breve suma.
De lengua al agraviado caballero
ha de servir la espada, no la pluma,
que muda dice a voces vuestra mengua.

(Echan mano.)

Duque. Lengua es la espada, pues parece lengua;
y pues con ella estáis, y así os provoca
a dar quejas de mí, puesto que en vano,
refrenando las lenguas de la boca,
hablen solas las lenguas de la mano,
si la ocasión que os doy (que será poca
para ese enojo poco cortesano),

a que primero le digáis no os mueve;
pues mi valor ningún agravio os debe.

CONDE. ¡Bueno es que así disimuléis los daños
que contra vos el cielo manifiesta!

DUQUE. ¿Qué daños, conde?

CONDE. Si en los largos años
de vuestra edad prolija, agora apresta,
duque de Avero, excusas, no hay engaños
que puedan convencerme; la respuesta
que me pedís ese papel la afirma
con vuestro sello, vuestra letra y firma.

(Arrójale.)

Tomadle, pues es vuestro; que el criado
que sobornastes para darme muerte
es, en lealtad, de bronce, y no ha bastado
vuestro interés contra su muro fuerte.
Por escrito mandastes que en mi estado
me quitase la vida, y, desta suerte,
no os espantéis que diga, y lo presuma,
que, en vez de espada, ejercitáis la pluma.

DUQUE. ¡Yo mandaros matar!

CONDE. Aqueste sello,
¿no es vuestro?

DUQUE. Sí.

CONDE. ¿Podéis negar tampoco
aquesta firma? Ved si me querello
con justa causa.

DUQUE. ¿Estoy despierto o loco?

CONDE. Leed ese papel; que con leello
veréis cuán justamente me provoco
a tomar la venganza por mis manos.

DUQUE. ¿Qué enredo es éste, cielos soberanos? *(Lee el duque la carta.)*

«Para satisfacción de algunos agravios, que con la muerte del conde Estremoz se pueden remediar, no hallo otro medio mejor que la confianza que en vos tengo puesta; y para que salga verdadera, me importa, pues sois su camarero, seáis también el ejecutor de mi venganza; cumplidla, y veníos a mi estado; que en él estaréis seguro, y con el premio que merece el peligro a que os ponéis por mi causa. Sírvaos esta carta de creencia (1), y dádsela a quien os la lleva, advirtiendo lo que importa la brevedad y el secreto. De mi villa de Avero, a 12 de marzo de 1400 años. - EL DUQUE.»

CONDE. No sé qué injuria os haya jamás hecho
la casa de Estremoz, de quien soy conde,
para degenerar del noble pecho
a que vuestra antigua sangre corresponde.

DUQUE. Si no es que algún traidor ha contrahecho
mi firma y sello, falso, en quien esconde
algún secreto enojo, con que intenta
con vuestra muerte mi perpetua afrenta,
vive el cielo, que sabe mi inocencia,
y conoce el autor desde delito,
que jamás en ausencia o en presencia,
por obra, por palabra o por escrito,
procuré vuestro daño: a la experiencia,
si queréis aguardarla, me remito;
que, con su ayuda, en esta misma tarde
tengo de descubrir su autor cobarde.
Confieso la razón que habéis tenido;
y hasta dejaros, conde, satisfecho,
que suspendáis el justo enojo os pido,
y soseguéis el alterado pecho.

CONDE. Yo soy contento, duque; persuadido
me dejáis algún tanto.

DUQUE. *(Aparte.)* Yo sospecho
quién ha sido el autor de aqueste insulto
que con mi firma y sello viene oculto;
pero antes de que dé fin hoy a la caza,
descubriré quién fueron los traidores.

---

(1) Carta credencial.

Salen Dos Cazadores

C. 1.º ¡Famoso jabalí!
C. 2.º Dímosle caza,
y, a pesar de los perros corredores,
hicieron sus colmillos ancha plaza,
y escapóse.
Duque. Éstos son mis cazadores.
Amigos...
C. 1.º ¡Oh señor!
Duque. No habréis dejado
a vida jabalí, corzo o venado.
¿Hay mucha presa?
C. 2.º Habrá la suficiente
para que tus acémilas no tornen
vacías.
Duque. ¿Qué se ha muerto?
C. 2.º Más de veinte
coronados venados, por que adornen
las puertas de palacio con su frente,
y porque en ellos, cuando a Avero tornen,
originales vean sus traslados,
quien [en] figuras de hombres son venados;
tres jabalíes y un oso temerario,
sin la caza menor, porque esa espanta.
C. 1.º Mátase en este bosque de ordinario
gran suma della.
Duque. No hay mata ni planta
que no la críe.

Sale Figueredo

Figuer. *(Aparte.)* ¡Oh falso secretario!
Duque. ¿Qué es esto? ¿Dónde vas con prisa tanta?
Figuer. ¡Gracias a Dios, señor, que hallarte puedo!
Duque. ¿Qué alboroto es aqueste, Figueredo?
Figuer. Una traición habemos descubierto,
que por tu secretario aleve urdida,

al conde de Estremoz hubiera muerto,
si llegara la noche.

CONDE. ¿A mí?

FIGUER. La vida
me debéis, conde.

CONDE. *(Aparte.)* Ya la causa advierto
de su enojo y venganza mal cumplida.
Engañé la hermosura de Leonela,
su hermana, y, alcanzada, despreciéla.

DUQUE. ¡Gracias al cielo, que por la justicia
del inocente vuelve! Y ¿de qué suerte
se supo la traición de su malicia?

FIGUER. Llamó en secreto un mozo pobre y fuerte,
y, como puede tanto la codicia,
prometióle, si al conde daba muerte,
enriquecerle; y, para asegurarle,
dijo que tú, señor, hacías matarle.
Pudo el vil interés manchar su fama:
aquesta noche prometió, en efeto,
cumplillo; mas amaba, que es quien ama
pródigo de su hacienda y su secreto.
Dicen que suele ser potro la cama
donde hace confesar al más discreto
una mujer que da a la lengua y boca
tormento, no de cuerda, mas de toca.
Declaróla el concierto que había hecho,
y encargóla el secreto, mas como era
el güesped grande, el aposento estrecho,
tuvo dolores hasta echalle fuera.
Concibió por la oreja; parió el pecho
por la boca, y fué el parto de manera
que, cuando el sol doraba el mediodía,
ya toda Avero la traición sabía.
Prendió al parlero mozo la justicia,
y Ruy Lorenzo huyó con un criado,
cómplice en las traiciones y malicia,
que el delincuente preso ha confesado.
Desto te vengo a dar, señor, noticia.

DUQUE. ¿Veis, conde, cómo el cielo ha averiguado
todo el caso, y mi honra satisfizo?
Ruy Lorenzo mi firma contrahizo.
Averiguar primero las verdades,
conde, que despeñarse, fué prudencia
de sabias y discretas calidades.

CONDE. No sé qué le responda a vueselencia:
sólo que, de un ministro, en falsedades
diestro, pudo causar a mi impaciencia
el engaño que agora siento en suma;
mas, ¿qué no engañará una falsa pluma?

DUQUE. Yo miraré desde hoy a quien recibo
por secretario.

CONDE. Si el fiar secretos
importa tanto, ya yo me apercibo
a elegir más leales que discretos.

DUQUE. Milagro, conde, fué dejaros vivo.

CONDE. La traición ocasiona estos efetos:
[huyó] la deslealtad, y la luz pura
de la verdad, señor, quedó segura.
¡Válgame el cielo! ¡Qué dichoso he sido!

DUQUE. Para un traidor que en esto se desvela,
todo es poco.

CONDE. Perdón humilde os pido.

DUQUE. A cualquiera engañara su cautela:
disculpado estáis, conde.

CONDE. *(Aparte.)* Aquesto ha urdido
la mujeril venganza de Leonela;
pero importa que el duque esté ignorante
de la ocasión que tuvo, aunque bastante.

DUQUE. Pésame que el autor de aqueste exceso
huyese. Pero vamos; que buscalle
haré de suerte que, al que muerto o preso
le trajere, prometo de entregalle
la hacienda que dejó.

C. 2.º Si ofreces eso
no habrá quien no le siga.

DUQUE. Verá dalle

todo este reino un ejemplar castigo.

CONDE. La vida os debo; pagaréla, amigo.

(Vanse.)

Salen TARSO *y* MELISA, *pastores*

MELISA. ¿Así me dejas, traidor?

TARSO. Melisa: domá otros potros;
que ya no me hace quillotros (1
en el alma vueso amor.
Con la ausencia de medio año
que ha que ni os busco ni os veo,
curó el tiempo mi deseo,
la enfermedad de un engaño.
Dándole a mis celos dieta,
estoy bueno poco a poco;
ya, Melisa, no so loco,
porque ya no so poeta.
¡Las copras que a cada paso
os hice! ¡Huego (2) de Dios
en ellas, en mí y en vos!
¡Si de subir al Parnaso
por sus musas de alquiler
me he quedado despeado!
¡Qué de nombres que os he dado
luna, estrella, locifer!...
¿Qué tenéis bueno, Melisa,
que no alabase mi canto?
Copras os compuse al llanto,
copras os hice a la risa,
copras al dulce mirar,
al suspirar, al toser,
al callar, al responder,
al asentarse, al andar,
al branco color, al prieto,
a vuesos desdenes locos,

---

(1) Voz de múltiples significaciones, según el contexto. Se emplea cuando no se sabe o no se da con la palabra exacta. Aquí podría ser *tilín*.

(2) Fuego.

al escopir, y a los mocos
pienso que os hice un soneto.
Ya me salí del garlito
do me cogistes, par Dios;
que no se me da por vos,
ni por vueso amor, un pito.

MELISA. ¡Ay Tarso, Tarso, en efeto
hombre, que es decir olvido!
¿Que una ausencia haya podido
hacer perderme el respeto
a mí, Tarso?

TARSO. A vos, y a Judas.
Sois mudable: ¿que queréis,
si en señal deso os ponéis
en la cara tantas mudas? (1).

MELISA. Así, mis prendas me torna,
mis cintas y mis cabellos.

TARSO. ¿Luego pensáis que con ellos
mi pecho o zurrón se adorna?
¡Qué boba! Que a estar yo ciego
trajera conmigo el daño.
Ya, Melisa, habrá medio año
que con todo di en el huego.
Cabellos que fueron lazos
de mi esperanza crueles,
listones, rosas, papeles,
baratijas y embarazos,
todo el huego los deshizo,
porque hechizó mi sosiego;
pues suele echarse en el huego,
porque no empezca, el hechizo.
Hasta el zurrón di a la brasa
do guardé mis desatinos;
que por quemar los vecinos
se pega huego a la casa.

MELISA. ¿Esto he de sufrir? ¡Ay cielo! *(Llora.)*

---

(1) Afeites.

TARSO. Aunque lloréis un diluvio;
tenéis el cabello rubio,
no hay que fiar dese pelo.
Ya os conozco que sois fina.
¡Pues no me habéis de engañar,
par Dios, aunque os vea llorar
los tuétanos y la orina!

MELISA. ¡Traidor!

TARSO. ¡Verá la embinción! (1).
Enjugad los arcaduces;
que hacéis el llanto a dos luces
como candil de mesón.

MELISA. Yo me vengaré, cruel.

TARSO. ¿Cómo?

MELISA. Casándome, ingrato.

TARSO. Eso es tomar el zapato
y daros luego con él.

MELISA. Vete de aquí.

TARSO. Que me place.

MELISA. ¿Que te vas desa manera?

TARSO. ¿No lo veis? Andando.

MELISA. Espera.
¿Mas que sé de dónde nace
tu desamor?

TARSO. ¿Mas que no?

MELISA. Celillos son de Mireno.

TARSO. ¿Yo celillos? ¡Oh, qué bueno!
Ya ese tiempo se acabó.
Mireno, el hijo de Lauro,
a quien sirvo, y cuyo pan
como, es discreto y galán,
y como tal le restauro
vuestro amor; mas yo le miro
tan libre, que en la ribera
me hallaréis quien se prefiera (2)
a hacelle dar un suspiro.

(1) Invención.
(2) Sea capaz.

Trújole su padre aquí
pequeño, y bien sabéis vos
que murmuran más de dos,
aunque vive y anda así,
que debajo del sayal
que le sirve de corteza
se encubre alguna nobleza
con que se honra Portugal.
No hay pastor en todo el Miño
que no le quiera y respete,
ni liberal que no inquiete
como a vos; mas ved qué aliño,
si la muerte hacelle quiso
tan desdeñoso y cruel,
que hay dos mil Ecos por él
de quien es sordo Narciso.
Como os veis dél despreciada,
agora os venís acá;
mas no entraréis; porque está
el alma a puerta cerrada.

MELISA. En fin: ¿no me quieres?

TARSO. No.

MELISA. Pues, para ésta (1), de un ingrato.
que yo castigue tu trato.

TARSO. ¿Castigarme a mí vos?

MELISA. Yo:
presto verás, fementido,
si te doy más de un cuidado;
que nunca el hombre rogado
ama como aborrecido.

TARSO. Bueno.

MELISA. Verás lo que pasa:
celos te dará un pastor;
que, cuando se pierde amor,
ellos le vuelven a casa. *(Vase.)*

TARSO. ¿Sí? Andad. Échome a temer

---

(1) Juramento: *por ésta*

alguna burla, aunque hablo;
que no tendrá miedo al diablo
quien no teme a una mujer.

Sale MIRENO, *pastor*

MIRENO. ¿Es Tarso?
TARSO. ¡Oh Mireno, soy
tu amigo fiel, si este nombre
merece tener un hombre
que te sirve.
MIRENO. Todo hoy.
te ando a buscar.
TARSO. Melisa
me ha detenido aquí un hora;
y cuando más por mí llora,
más me muero yo de risa.
Pero ¿qué hay de nuevo?
MIRENO. Amigo:
la mucha satisfacción
que tengo de tu afición
me obliga a tratar contigo
lo que, a no quererte tanto,
ejecutara sin ti.
TARSO. De ver que me hables así,
por ser tan nuevo, me espanto.
Contigo, desde pequeño,
me crió Lauro, y aunque (1),
según mi edad, ya podré
gobernar casa y ser dueño,
quiero más por el amor,
que ha tanto te he cobrado,
ser en tu casa criado,
que en la mía ser señor.
MIRENO. En fe de haber descubierto
mi experiencia que es así,

(1) A los efectos de la rima, la conjunción se pronuncia como si estuviese escrita *aunqué*.

y hallar, Tarso, ingenio en ti,
puesto que humilde, despierto,
pretendo en tu compañía
probar si, hasta donde alcanza
la barra de mi esperanza,
llega la ventura mía.
Mucho ha que me tiene triste
mi altiva imaginación,
cuya soberbia ambición
no sé en qué estriba o consiste.
Considero algunos ratos
que los cielos, que pudieron
hacerme noble, y me hicieron
un pastor, fueron ingratos;
y que, pues con tal bajeza
me acobardo y avergüenzo,
puedo poco, pues no venzo
mi misma naturaleza.
Tanto el pensamiento cava
en esto, que ha habido vez
que, afrentando la vejez
de Lauro, mi padre, estaba
por dudar si soy su hijo
o si me hurtó a algún señor;
aunque de su mucho amor
mi necio engaño colijo.
Mil veces, estando a solas,
le he preguntado si acaso
el mundo, que a cada paso
honras anega en sus olas,
le sublimó a su alto asiento
y derribó del lugar
que intenta otra vez cobrar
mi atrevido pensamiento;
porque el ser advenedizo
aquí anima mi opinión,
y su mucha discreción
dice claro que es postizo

su grosero oficio y traje,
por más que en él se reporte,
pues más es para la corte
que los montes, su lenguaje.
Siempre, Tarso, ha malogrado
estas imaginaciones,
y con largas digresiones
mil sucesos me ha contado,
que todos paran en ser,
contra mis intentos vanos,
progenitores villanos
los que me dieron el ser.
Esto, que había de humillarme,
con tal violencia me altera,
que desta vida grosera
me ha forzado a desterrarme;
y que a buscar me desmande
lo que mi estrella destina,
que a cosas más grandes me inclina
y algún bien me aguarde grande;
que, si tan pobre nací
como el hado me crió,
cuanto más hiciere yo,
más vendré a deberme a mí.
Si quieres participar
de mis males o mis bienes,
buena ocasión, Tarso, tienes;
déjame de aconsejar
y determínate luego.

TARSO. Para mí bástame el verte,
Mireno, de aquesta suerte;
ni te aconsejo ni ruego;
discreto eres; estodiado
has con el cura; yo quiero
seguirte, aunque considero
de Lauro el nuevo cuidado.

MIRENO. Tarso: si dichoso soy,
yo espero en Dios de trocar

en contento su pesar.

TARSO. ¿Cuándo has de irte?

MIRENO. Luego

TARSO. ¿Hoy?

MIRENO. Al punto.

TARSO. Y, ¿con qué dinero?

MIRENO. De dos bueyes que vendí
lo que basta llevo aquí.
Vamos derechos a Avero,
y compraréte una espada
y un sombrero.

TARSO. ¡Plegue a Dios
que no volvamos los dos
como perro con pedrada!

(Vanse.)

(Otro punto del bosque)

Salen RUY LORENZO *y* VASCO, *lacayo*

VASCO. Señor: vuélvete al bosque, pues conoces
que apenas estaremos aquí una hora
cuando las postas nos darán alcance;
y los villanos destas caserías,
que nos buscan cual galgos a las liebres,
si nos cogen, harán la remembranza
de Cristo y su prisión hoy con nosotros;
y quedaremos, por nuestros pecados,
en vez de remembrados, desmembrados.

RUY. Ya, Vasco, es imposible que la vida
podamos conservar; pues cuando el cielo
nos librase de tantos que nos buscan,
el hambre vil, que con infames armas
debilita las fuerzas más robustas,
nos tiene de entregar al duque fiero.

VASCO. Para el hambre y sus armas no hay acero.

RUY. Por vengar la deshonra de mi hermana,
que el conde de Estremoz tiene usurpada,
su firma en una carta contrahice;

y, saliéndome inútil esta traza
busqué quien con su muerte me vengase;
mas nada se le cumple al desdichado,
y, pues lo soy, acaba con la vida,
que no es bien muera de hambre habiendo
[espada.

VASCO. ¿Es posible que un hombre que se tiene
por hombre, como tú, hecho y derecho,
quisiese averiguar por tales medios
si fué forzada u no tu hermana? Dime:
¿piensas de veras que en el mundo ha habido
mujer forzada?

RUY. ¿Agora dudas de eso?
¿No están llenos los libros, las historias
y las pinturas de violentos raptos
y forzosos estupros, que no cuento?

VASCO. Riyérame a no ver que aquesta noche
los dos habemos de cenar con Cristo,
aunque hacer colación me contentara
en el mundo, y a oscuras me acostara.
Ven acá: si Leonela no quisiera
dejar coger las uvas de su viña,
¿no se pudiera hacer todo un ovillo,
como hace el erizo, y a puñadas,
aruños, coces, gritos, y a bocados,
dejar burlado a quien su honor maltrata,
en pie su fama y el melón sin cata?
Defiéndese una yegua en medio un campo
de toda una caterva de rocines,
sin poderse quejar. «¡Aquí del cielo,
que me quitan mi honra!», como puede
una mujer honrada en aquel trance;
escápase una gata como el puño
de un gato zurdo y otro carirramo
por los caramanchones y tejados
con sólo decir *miao* y echar un fufo;
y ¿quieren estas daifas persuadirnos
que no pueden guardar sus pertenencias

de peligros nocturnos? Yo aseguro,
si como echa a galeras la justicia
los forzados, echara las forzadas,
que hubiera menos, y ésas más honradas.

Salen TARSO y MIRENO

TARSO. Jurómela Melisa: ¡lindo cuento
será el ver que la he dado cantonada!

MIRENO. Mal pagaste su amor.

TARSO. Dala a Pilatos,
que es más mudable que hato de gitanos;
más arrequives tienen sus amores
que todo un canto de órgano; no quiero
sino seguirte a ti por mar y tierra,
y trocar los amores por la guerra.

RUY. Gente suena.

VASCO. Es verdad; y aun en mis calzas
se han sonado de miedo las narices
del rostro circular, romadizadas.

RUY. Perdidos somos.

VASCO. ¡Santos estrellados!
Doleos de quien de miedo está en tortilla;
y, si hay algún devoto de lacayos,
sáqueme de este aprieto, y yo le juro
de colgalle mis calzas a la puerta
de su templo, en lavándolas diez veces
y limpiando la cera de sus barrios;
que, aunque las enceró mi pena fiera,
no es buena para ofrendas esta cera.

RUY. Sosiégate que solos dos villanos,
sin armas defensivas ni ofensivas,
poco mal han de hacernos.

VASCO. ¡Plegue al cielo!

RUY. Cuanto y más, que el venir tan descuidados
nos asegura de lo que tememos.

VASCO. ¡Ciégalos, San Antonio!

RUY. Calla; lleguemos.

¿Adónde bueno, amigos?

MIRENO. ¡Oh señores!
A la villa, a comprar algunas cosas
que el hombre ha menester. ¿Está allá el
[duque?

RUY. Allá quedaba.

MIRENO. Dele vida el cielo.
Y vosotros, ¿do bueno? Que esta senda
se aparta del camino real y guía
a unas caserías que se muestran
al pie de aquella sierra.

RUY. Tus palabras
declaran tu bondad, pastor amigo.
Por vengar la deshonra de una hermana
intenté dar la muerte a un poderoso;
y, sabiendo mi honrado atrevimiento,
el duque manda que me siga y prenda
su gente por aquestos despoblados;
y, ya desesperado de librarme,
salgo al camino. Quíteme la vida,
de tantos, por honrada, perseguida.

MIRENO. Lástima me habéis hecho; y ¡vive el cielo!
que, si como la suerte avara me hizo
un pastor pobre, más valor me diera,
por mi cuenta tomara vuestro agravio.
Lo que se puede hacer, de mi consejo,
es que los dos troquéis esos vestidos
por aquestos groseros; y encubiertos
os libraréis mejor, hasta que el cielo
a daros su favor, señor, comience;
porque la industria los trabajos vence.

RUY. ¡Oh noble pecho, que entre paños bastos
descubres el valor mayor que he visto!
Páguete el cielo, pues que yo no puedo,
ese favor.

MINERO. La diligencia importa:
entremos en lo espeso. Y trocaremos
el traje.

RUY. Vamos. ¡Venturoso he sido!

(Vanse los dos.)

TARSO. Y ¿habéis también de darme por mi sayo
esas abigarradas, con más cosas
que un menudo de vaca?

VASCO. Aunque me pese.

TARSO. Pues dos liciones me daréis primero,
porque con ellas pueda hallar el tino,
entradas y salidas de esa Troya;
que, pardiez, que aunque el cura sabe tanto,
que canta un *parce mihi* por do quiere,
no me supo vestir el día del Corpus
para her (1) el rey David.

VASCO. Vamos; que presto
os la[s] sabréis poner.

TARSO. Como hay maestros
que enseñan a leer a los muchachos,
¿no pudieran poner en cada villa
maestros con salarios, y con pagas,
que mos dieran lición de calzar bragas?

(Vanse.)

Salen DORISTO, *alcalde;* LARISO y DENIO, *pastores*

DORIST. Ya los vestidos y señas
del amo y criado sé;
callad, que yo os los pondré,
Lariso, cual digan dueñas.

LARISO. ¿Que quiso matar al conde?
¡Verá el bellaco!

DORIST. Par Dios,
que si los cojo a los dos,
y el diabro no los esconde,
que he de llevarlos a Avero
con cepo y grillos.

DENIO. ¡Verá!

---

(1) Por hacer. La *h*, espirada.

¿Qué bestia los llevará
en el cepo?

DORIST. Regidero:
no os metáis en eso vos;
que no empuño yo de balde
el palillo. ¿No so alcalde?
Pues yo os juro, a non de Dios,
que ha de her lo que publico;
y que los ha de llevar
con el cepo hasta el lugar
de Avero vueso borrico.

LARISO. Busquémoslos; que después
quillotraremos (1) el modo
con que han de ir.

DORIST. El monte todo
está cercado; por pies
no se irán.

DENIO. Amo y lacayo
han de estar aquí escondidos.

LARISO. Las señas de los vestidos.
sombreros, capas y sayo
del mozo en la cholla llevo.

DORIST. Si los prendemos, por paga
diré al duque que mos haga,
par del olmo, un rollo nuevo.

LARISO. Hombre sois de gran meollo,
si rollo en el puebro hacéis.

DORIST. El será tal que os honréis
que os digan: «Váyase al rollo.» *(Vanse.)*

Salen RUY LORENZO, *de pastor,*
y MIRENO, *de galán*

RUY. De tal manera te asienta
el cortesano vestido,
que me hubiera persuadido
a que eras hombre de cuenta,

---

(1) Idearemos.

a no haber visto primero
que ocultaba la belleza
de los miembros la bajeza
de aqueste traje grosero.
Cuando se viste el villano
las galas del traje noble,
parece imagen de roble
que ni mueve pie ni mano;
ni hay quien persuadirse pueda
sino que es, como sospech[a],
pared que, de adobes hecha,
la cubre un tapiz de seda.
Pero cuando en ti contemplo
el desenfado con que andas
y el donaire con que mandas
ese vestido, otro ejemplo
hallo en ti más natural,
que vuelve por tu decoro,
llamándote imagen de oro,
con la funda de sayal.
Alguna nobleza infiero
que hay en ti; pues te prometo
que te he cobrado el respeto
que al mismo duque de Avero.
¡Hágalo el cielo como él!

MIRENO. Y a ti, con sosiego y paz,
te vuelva sin el disfraz,
a tu estado: y fuera dél,
con paciencia vencerás
de la fortuna el ultraje.
Si te ve en aquese traje
mi padre, en él hallarás
nuevo amparo; en él te fía,
y dile que me destierra
mi inclinación a la guerra;
que espero en Dios que algún día
buena vejez le he de dar.

RUY. Adiós, gallardo mancebo;

la espada sola me llevo,
para poder evitar,
si me conocen, mi ofensa.

MIRENO. Haces bien; anda con Dios,
que hasta la villa los dos,
aunque vamos sin defensa,
no tenemos qué temer;
y allá espadas compraremos.

Sale VASCO, *de pastor*

VASCO. Vámonos de aquí. ¿Qué hacemos?,
que ya me quisiera ver
cien leguas deste lugar.

MIRENO. ¿Y Tarso?

VASCO. Allí desenreda
las calzas, que agora queda
comenzándose a atacar,
muy enojado conmigo
porque me llevo la espada,
sin la cual no valgo nada.

MIRENO. La tardanza os daña.

RUY. Amigo,
adiós.

VASCO. No está malo el sayo.

RUY. Jamás borrará el olvido.
este favor.

VASCO. Embutido
va en un pastor un lacayo. *(Vanse.)*

MIRENO. Del castizo caballo descuidado,
el hambre y apetito satisface
la verde hierba que en el campo nace,
el freno duro del arzón colgado;
mas luego que el jaez de oro esmaltado
le pone el dueño cuando fiestas hace,
argenta espumas, céspedes deshace,
con el pretal sonoro alborotado.

Del mismo modo entre la encina y roble,
criado con el rústico lenguaje
y vistiendo sayal tosco, he vivido;
mas despertó mi pensamiento noble,
como al caballo, el cortesano traje:
que aumenta la soberbia el buen vestido.

Sale TARSO, *de lacayo*

TARSO. ¿No ves las devanaderas
que me han forzado a traer?
Yo no acabo de entender
tan intrincadas quimeras.
¿No notas la confusión
de calles y encrucijadas?
¿Has visto más rebanadas,
sin ser mis calzas melón?
¿Qué astrólogo tuvo esfera,
di, menos inteligible,
que ha un hora que no es posible
topar con la faltriquera?
¡Válgame Dios! ¡El jüicio
que tendría el inventor
de tan confusa labor
y enmarañado edificio!
¡Qué ingenio! ¡Qué entendimiento!
MIRENO. Basta, Tarso.
TARSO. No te asombre;
que ésta no ha sido obra de hombre.
MIRENO. Pues ¿de qué?
TARSO. De encantamiento;
obra es digna de un Merlín,
porque en estos astrolabios
aun no hallarán los más sabios
ningún principio ni fin.
Pero, ya que enlacayado
estoy, y tú caballero,
¿qué hemos de hacer?

MIRENO. Ir a Avero,
que este traje ha levantado
mi pensamiento de modo
que a nuevos intentos vuelo.

TARSO. Tú querrás subir al cielo,
y daremos en el lodo.
Mas, pues eres ya otro hombre,
por si acaso adonde fueres
caballero hacerte quieres,
¿no es bien que mudes el nombre?
Que el de Mireno no es bueno
para nombre de señor.

MIRENO. Dices bien: no soy pastor,
ni he de llamarme Mireno.
Don Dionís en Portugal
es nombre ilustre y de fama;
don Dionís desde hoy me llama.

TARSO. No le has escogido mal;
que los reyes que ha tenido
de ese nombre esta nación,
eterna veneración
ganaron a su apellido.
Estremado es el ensayo;
pero, ya que así te ensalzas,
dame un nombre que a estas calzas
les venga bien, de lacayo;
que ya el de Tarso me quito.

MIRENO. Escógele tú.

TARSO. Yo escojo,
si no lo tiene a enojo...
¿No es bueno...?

MIRENO. ¿Cuál?

TARSO. Gómez Brito.
¿Qué te parece?

MIRENO. Estremado.

TARSO. ¡Gentiles cascos, por Dios!
Sin ser obispos, los dos
nos habemos confirmado.

Salen Doristo, Lariso *y* Denio *y* Pastores *con armas y sogas*

Dorist. ¡Válgaos el dimunio, amén!
¿Que nos los hemos de hallar?

Lariso. Si no es que saben volar,
imposible es que no estén
entre estas matas y peñas.

Denio. Busquémoslos por lo raso.

Lariso. ¿No so[n] éstos?

Dorist. Habrad paso.

Lariso. Par Dios, conforme las señas,
que son los propios.

Dorist. Atadle
los brazos, pues veis que están
sin armas.

Denio. Rendíos, galán.

Lariso. Tené al rey.

Dorist. Tené al alcalde.

(Por detrás los cogen y atan.)

Mireno. ¿Qué es esto?

Tarso. ¿Estáis en vosotros?
¿Por qué nos prendéis?

Dorist. Por gatos.
¡Aho! ¿No veis qué mojigatos
hablan? Sabéis ser quillotros
para dar la muerte al conde,
y ¿pescudaisnos (1) por qué
os prendemos?

Denio. ¡Bueno, a fe!

Tarso. ¿Qué conde, o qué muerte? ¿Adónde
mos habéis visto otra vez?

Dorist. Allá os lo dirá el verdugo,
cuando os cuelgue cual besugo
de las agallas y nuez.

Mireno. A no llevarme la espada,
ya os fuerais arrepentidos.

---

(1) *Pescudar:* preguntar.

TARSO. El trueco de los vestidos
mos ha dado esta gatada.
¡Ah mi señor don Dionís!
¿Es aquesta la ganancia
de la guerra? ¿Qué ignorancia
te engañó?

DORIST. ¿Qué barbullís?

TARSO. Tarso quiero ser, no Brito;
ganadero, no lacayo;
por bragas quiero mi sayo;
las ollas lloro de Egito.

LARISO. ¿Quieren callar, bellacón?
Darle de puñadas quiero.

DORIST. Alto, a Avero.

MIRENO. Pues a Avero
nos llevan, ten corazón;
que, cuando el duque nos vea,
caerán éstos en su engaño
sin que nos mande hacer daño.

DORIST. Rollo tendrá muesa aldea.

DENIO. Cuando bajo el olmo le hagas,
en él haremos concejo.

TARSO. Yo de ninguno me quejo,
sí de estas malditas bragas.
¿Quién ha visto tal ensayo?

MIRENO. ¿Qué temes, necio? ¿Qué dudas?

TARSO. Si me cuelgan y hago un Judas,
sin haber Judas lacayo,
¿no he de llorar y temer?
Hoy me cuelgan del cogollo.

DORIST. En la picota del rollo
un reloj he de poner.
Vamos.

LARISO. Bien el puebro ensalzas.

TARSO. Si te quieres escapar
do no te pueden hallar,
métete dentro en mis calzas. *(Vanse.)*

(Salón en el palacio del Duque de Avero)

Salen DOÑA JUANA *y* DON ANTONIO, *de camino*

JUANA. ¡Primo don Antonio!
ANTON. Paso,
no me nombréis; que no quiero
hagáis de mí tanto caso
que me conozca en Avero
el duque. A Galicia paso,
donde el rey don Juan me llama
de Castilla; que me ama
y hace merced; y deseo,
a costa de algún rodeo,
saber si miente la fama
que ofrece el lugar primero
de la hermosura de España
a las hijas del de Avero,
o si la fama se engaña
y miente el vulgo ligero.
JUANA. Bien hay que estimar y ver;
pero no habéis de querer
que así tan despacio os goce.
ANTON. Si el de Avero me conoce,
y me obliga a detener,
caer en falta recelo
con el rey.
JUANA. Pues si eso pasa,
de mi gusto al vuestro apelo;
mas, si sabe que en su casa
don Antonio de Barcelo,
conde de Penela, ha estado,
y que encubierto ha pasado,
cuando le pudo servir
en ella, halo de sentir
con exceso; que en su estado
jamás llegó caballero
que por inviolables leyes

no le hospede.

ANTON. Así lo infiero;
que es nieto, en fin, de los reyes
de Portugal el de Avero.
Pero, dejando esto, prima:
¿tan notable es la beldad
que en sus dos hijas sublima
el mundo?

JUANA. ¿Es curiosidad,
o el alma acaso os lastima
el ciego?

ANTON. Mal sus centellas
me pueden causar querellas
si de su vista no gozo;
curiosidades de mozo
a Avero me traen a vellas.
¿Cómo tengo de querer
lo que no he llegado a ver?

JUANA. De que eso digáis me pesa:
nuestra nación portuguesa
esta ventaja ha de hacer
a todas; que porque asista
aquí amor, que es su interés,
ha de amar, en su conquista,
de oídas el portugués,
y el castellano, de vista.
Las hijas del duque son
dignas de que su alabanza
celebre nuestra nación.
La mayor, a quien Berganza (1)
y su duque, con razón,
pienso que intenta entregar
el conde de Vasconcelos,
su heredero, puede dar
otra vez a Clicie celos,
si el sol la sale a mirar.

---

(1) Braganza.

Pues doña Serafina,
hermana suya, es divina
la hermosura.

ANTON. Y, de las dos,
¿a cuál juzgáis, prima, vos
por más bella?

JUANA. Más se inclina
mi afición a la mayor,
aunque mi opinión refuta
en parte el vulgo hablador;
mas en gustos no hay disputa,
y más en cosas de amor.
En dos bandos se reparte
Avero, y por cualquier parte
hay bien que alegar.

ANTON. ¿Aquí
hay algún título?

JUANA. Sí,
don Francisco y don Duarte.

ANTON. Y ¿qué hacen?

JUANA. Más de un curioso
dice que pretende ser
cada cual de la una esposo.

ANTON. Prima: ya las he de ver
esta tarde; que es forzoso
irme luego.

JUANA. Yo os pondré
donde su hermosura os dé,
podrá ser, más de una pena.

ANTON. ¿Serafina o Madalena?

JUANA. Bellas son las dos; no sé.
Pero el duque sale aquí
con ellas; ponte a esta parte.

Salen el DUQUE, *el* CONDE, SERAFINA
y DOÑA MADALENA

DUQUE. *(Aparte, al Conde.)* Digo, conde don Duarte,
que todo se cumpla así.

CONDE. Pues el rey, nuestro señor,
favorece la privanza
del hijo del de Berganza,
y a vuestra hija mayor
os pide para su esposa,
escriba vuestra excelencia
que, con su gusto y licencia,
doña Serafina hermosa
lo será mía.

DUQUE. Está bien.

CONDE. Pienso que su majestad
me mira con voluntad,
y que lo tendrá por bien;
yo y todo le escribiré.

DUQUE. No lo sepa Serafina
hasta ver si determina
el rey que la mano os dé;
que es muchacha; y descuidada,
aunque portuguesa, vive
de que tan presto cautive
su libertad la lazada
o nudo del matrimonio.

JUANA. (*Aparte.*) Presto os habéis divertido.
Decid: ¿qué os han parecido
las hermanas, don Antonio?

ANTON. No sé el alma a cuál se inclina,
ni sé lo que hacer ordena:
bella es doña Madalena,
pero doña Serafina
es el sol de Portugal.
Por la vista el alma bebe
llamas de amor entre nieve,
por el vaso de cristal
de su divina blancura:
la fama ha quedado corta
en su alabanza.

DUQUE. Esto importa.

ANTON. Fénix es de la hermosura.

DUQUE. Llegaos, Madalena, aquí.
CONDE. Pues me da el duque lugar,
mi serafín, quiero hablar,
si hay atrevimiento en mí
para que vuele tan alto
que a serafines me iguale.
ANTON. Prima: a ver el alma sale
por los ojos el asalto
que amor le da poco a poco;
ganaréme si me pierdo.
JUANA. Vos entrastes, primo, cuerdo,
y pienso que saldréis loco.
DUQUE. Hija: el rey te honra y estima;
cuán bien te está considera.
MADAL. Mi voluntad es de cera;
vuexcelencia en ella imprima
el sello que más le cuadre,
porque en mí sólo ha de haber
callar con obedecer.
DUQUE. ¡Mil veces dichoso padre
que oye tal!
CONDE. *(A Doña Serafina.)* Las dichas mías,
como han subido al extremo
de su bien, que caigan temo.
SERAF. Conde: esas filosofías,
ni las entiendo, ni son
de mi gusto.
CONDE. Un serafín
bien puede alcanzar el fin
y el alma de una razón.
No digáis que no entendéis,
serafín, lo que alcanzáis.
SERAF. ¡Jesús, qué dello (1) que habláis!
CONDE. Si soy hombre; ¿qué queréis?
Por palabras los intentos
quiere que expliquemos Dios;

(1) *Dello:* cuánto.

que, a ser serafín cual vos,
con todos los pensamientos
nos habláramos.

SERAF. ¿Qué amor
habla tanto?

CONDE. ¿No ha de hablar?

SERAF. No; que hay poco que fiar
de un niño, y más, hablador.

CONDE. En todo os hizo perfecta
el cielo con mano franca.

ANTON. Prima: para ser tan blanca,
notablemente es discreta.
¡Qué agudamente responde!
Ya han esmaltado los cielos
el oro de amor con celos:
mucho me enfada este conde.

JUANA. ¡Pobre de vuestra esperanza
si tal contrario la asalta!

DUQUE. Un secretario me falta
de quien hacer confianza;
y, aunque esta plaza pretenden
muchos por diversos modos
de favores, entre todos,
pocos este oficio entienden.
Trabajo me ha de costar
en tal tiempo estar sin él.

MADAL. A ser el pasado fiel,
era ingenio singular.

DUQUE. Sí; mas puso en contingencia
mi vida y reputación.

Salen DORISTO, LARISO, DENIO *y los* PASTORES,
que traen presos a MIRENO *y* TARSO

DORIST. Ande apriesa el bellacón.

LARISO. Aquí está el duque.

TARSO. Paciencia
me dé Herodes.

DENIO. ¡Aho! Llegá,
pues sois alcalde, y habralde.
DORIST. Buen viejo: yo so el alcalde,
y vos el duque.
LARISO. ¡Verá!
Llegaos más cerca.
DORIST. Y sopimos
yo, el herrero y su mujer
que mandábades prender
estos bellacos y fuimos
Bras Llorente y Gil Bragado...
TARSO. Aquese yo lo seré,
pues por mi mal me embragué.
DORIST. Y después de haber llamado
a concejo el regidero
Pero Mínguez... Llega acá,
que no sois bestia, y habrá;
decid lo demás.
LARISO. No quiero:
decildo vos.
DORIST. No estodié
sino hasta aquí; en concrusión:
éstos los ladrones son,
que por sólo heros mercé
prendimos yo y Gil Mingollo:
haga lo que el puebro pide
su duquencia, y no se olvide
lo que le dije del rollo.
DUQUE. ¡Hay mayor simplicidad!
Ni he entendido a lo que vienen,
ni por qué delito tienen
así estos hombres. Soltad
los presos; y decid vos
qué insulto habréis cometido
para que os hayan traído
de aquesa suerte a los dos.
MIRENO. *(De rodillas.)* Si lo es el favorecer,
gran señor, a un desdichado,

perseguido y acosado
de tus gentes y poder,
y juzgas por temerario
haber trocado el vestido
por dalle vida, yo he sido.

DUQUE. ¿Tú libraste al secretario?
Pero sí; que aquese traje
era suyo; di, traidor,
¿por qué le diste favor?

MIRENO. Vueselencia no me ultraje,
ni ese título me dé;
que no estoy acostumbrado
a verme así despreciado.

DUQUE. ¿Quién eres?

MIRENO. No soy; seré;
que sólo por pretender
ser más de lo que hay en mí
menosprecié lo que fuí
por lo que tengo de ser.

DUQUE. No te entiendo.

MADAL. *(Aparte.)* ¡Extraña audacia
de hombre! El poco temor
que muestra dice el valor
que encubre. De su desgracia
me pesa.

DUQUE. Di: ¿conocías
al traidor que ayuda diste?
Mas, pues por él te pusiste
en tal riesgo, bien sabías
quién era.

MIRENO. Supe que quiso
dar muerte a quien deshonró
su hermana, y después te dió
de su honrado intento aviso;
y, enviándole a prender,
le libré de ti, espantado
por ver que el que está agraviado
persigas: debiendo ser

favorecido por ti,
por ayudar al que ha puesto
en riesgo su honor.

CONDE. *(Aparte.)* ¿Qué es esto?
¿Ya anda derramada así
la injuria que hice a Leonela?

DUQUE. ¿Sabes tú quién la afrentó?

MIRENO. Supiéralo, señor, yo;
que, a sabello...

DUQUE. Fué cautela
del traidor para engañarte:
tú sabes adónde está,
y así forzoso será,
si es que pretendes librarte,
decillo.

MIRENO. ¡Bueno sería,
cuando adonde está supiera,
que un hombre como yo hiciera,
por temor, tal villanía!

DUQUE. ¿Villanía es descubrir
un traidor? Llevalde preso;
que, si no ha perdido el seso
y menosprecia el vivir,
él dirá dónde se esconde.

MADAL. *(Aparte.)* Ya deseo de libralle,
que no merece su talle
tal agravio.

DUQUE. Intento, conde,
vengaros.

CONDE. Él lo dirá.

TARSO. *(Aparte.)* ¡Muy gentil ganancia espero!

DUQUE. Vamos; que responder quiero
al rey.

TARSO. *(Aparte.)* ¡Medrándose va
con la mudanza de estado,
y nombre de don Dionís!

DUQUE. Viviréis si lo decís.

MIRENO. *(Aparte.)* La fortuna ha comenzado

a ayudarme: ánimo ten,
porque en ella es natural,
cuando comienza por mal,
venir a acabar en bien.

TARSO. Bragas, si una vez os dejo,
nunca más transformación.

(Llévanlos presos.)

DUQUE. Meted una petición
vosotros en mi consejo
de lo que queréis; que allí
se os pagará este servicio.

DORIST. Vos, que tenéis buen juicio,
la peticionad.

LARISO. Sea así.

DORIST. Señor: por este cuidado
haga un rollo en mi lugar,
tal que se pueda ahorcar
en él cualquier hombre honrado.

(Vanse los PASTORES, *el* DUQUE *y el* CONDE; *quedan los demás)*

MADAL. Mucho, doña Serafina,
me pesa ver llevar preso
aquel hombre.

SERAF. Yo confieso
que a rogar por él me inclina
su buen talle.

MADAL. ¿Eso desea
tu afición? ¿Ya es bueno el talle?
Pues no tienes de libralle
aunque lo intentes.

SERAF. No sea.

(Vanse DOÑA SERAFINA *y* MADALENA*)*

JUANA. ¿Habeisos de ir esta tarde?

ANTON. ¡Ay prima! ¿cómo podré,

si me perdí, si cegué,
si amor, valiente, cobarde,
todo el tesoro me gana
del alma y la voluntad?
Sólo por ver su beldad
no he de irme hasta mañana.

JUANA. ¡Bueno estáis! ¿Qué amáis en fin?

ANTON. Sospecho, prima querida,
que de mi contento y vida
Serafina será fin.

FIN DEL ACTO PRIMERO

ACTO SEGUNDO

Sale Doña Madalena *sola*

Madal. ¿Qué novedades son éstas,
altanero pensamiento?
¿Qué torres sin fundamento
tenéis en el aire puestas?
¿Cómo andáis tan descompuestas,
imaginaciones locas?
Siendo las causas tan pocas,
¿queréis exponer mis menguas
a juïcio de las lenguas
y a la opinión de las bocas?
Ayer guardaban los cielos
el mar de vuestra esperanza
con la tranquila bonanza
que agora inquietan desvelos.
Al conde de Vasconcelos,
o a mi padre di, en su nombre,
el sí; mas, porque me asombre,
sin que mi honor lo resista,
se entró al alma, a escala vista,
por la misma vista un hombre.
Vióle en ella, y fuera exceso,
digno de culpa mi error,
a no saber que el amor
es niño, ciego y sin seso.
¿A un hombre extranjero y preso,
a mi pesar, corazón,

habéis de dar posesión?
¿Amar al conde no es justo?
Mas ¡ay! que atropella el gusto
las leyes de la razón.
Mas, pues, a mi instancia está
por mi padre libre y suelto,
mi pensamiento resuelto
bien remediarse podrá.
Forastero es; si se va,
con pequeña resistencia
podrá sanar la paciencia
el mal de mis desconciertos;
pues son médicos expertos
de amor el tiempo y la ausencia.
Pero ¿con qué rigor trazo
el remedio de mi vida?
Si puede sanar la herida,
crueldad es cortar el brazo.
Démosle a amor algún plazo,
pues su vista me provoca;
que, aunque es la efímera loca,
ninguno al enfermo quita
el agua que no permita
siquiera enjuagar la boca.
Hacerle quiero llamar—.
¡Ah doña Juana!—Teneos,
desenfrenados deseos,
si no os queréis despeñar:
¿así vais a publicar
vuestra afrenta? La vergüenza
mi loco apetito venza;
que, si es locura admitillo
dentro del alma, el decillo
es locura o desvergüenza.

Sale DOÑA JUANA

JUANA. Aquel mancebo dispuesto
que ha estado preso hasta agora

y a tu intercesión, señora,
ya en libertad está puesto,
pretende hablarte.

MADAL. *(Aparte.)* ¡Qué presto
valerse el amor procura
de la ocasión y ventura
que ha de ponerse en efeto!
Mas hace como discreto;
que amor todo es coyuntura.
¿Sabes qué quiere?

JUANA. Pretende
el favor que ha recibido
por ti, ser agradecido.

MADAL. *(Aparte.)* Áspides en rosas vende.

JUANA. ¿Entrará?

MADAL. *(Aparte.)* Si preso prende,
si maltratado maltrata,
si atado las manos ata
las de mi gusto resuelto,
¿qué ha de hacer presente y suelto
quien ausente y preso mata?
Dile que vuelva a la tarde,
que agora ocupada estoy.
Mas oye: no vuelva.

JUANA. Voy.

MADAL. Escucha: di que se aguarde.
Mas, váyase; que es ya tarde.

JUANA. ¿Hase de volver?

MADAL. ¿No digo
que sí? Ve.

JUANA. Tu gusto sigo.

MADAL. Pero torna; no se queje.

JUANA. Pues ¿qué dirá?

MADAL. Que me deje;
(Aparte) y que me lleve consigo.
Anda; di que entre...

JUANA. Voy, pues. *(Vase.)*

MADAL. Que, aunque venga a mi presencia,

vencerá la resistencia
hoy del valor portugués.
El desear y ver es,
en la honrada y la no tal,
apetito natural;
y si diferencia se halla,
es en que la honrada calla
y la otra dice su mal.
Callaré, pues que presumo
cubrir mi desasosiego,
si puede encubrirse el fuego,
sin manifestalle el humo.
Mas bien podré, si consumo
el tiempo a palabras vanas;
pero las llamas tiranas
del amor, es cosa cierta
que, en cerrándolas la puerta,
se salen por las ventanas;
cuando les cierren la boca,
por los ojos se saldrán;
mas no las conocerán,
callando la lengua loca;
que, si ella a amor no provoca,
nunca amorosos despojos
dan atrevimiento a enojos
si no es en cosas pequeñas;
porque al fin hablan por señas
cuando hablan solos los ojos.

Sale MIRENO, *galán, y dice de rodillas*

MIRENO. Aunque ha sido atrevimiento
el venir a la presencia,
señora, de vuexcelencia
mi poco merecimiento,
ser agradecido trato
al recebido favor;

porque el pecado mayor
es el que hace un hombre ingrato.
Por haber favorecido
de un desdichado la vida
—que al noble es deuda debida—
me vi preso y perseguido;
pero en la misma moneda
me pagó el cielo sin duda,
pues libre, con vuestra ayuda,
mi vida, señora, queda.
¿Libre dije? Mal he hablado;
que el noble, cuando recibe,
cautivo y esclavo vive,
que es lo mismo que obligado;
y, ojalá mi vida fuera
tal que, si esclava quedara,
alguna parte pagara
desta merced, que ella hiciera
exceso; pero, entre tantas
que mi humildad envilecen
y como esclavos ofrecen
sus cuellos a vuestras plantas,
a pagar con ella vengo
la mucha deuda en que estoy;
pues no os debo más si os doy,
gran señora, cuanto tengo.

MADAL. Levantaos del suelo.

MIRENO. Así,
estoy, gran señora, bien.

MADAL. Haced lo que os digo. (*Aparte.*) ¿Quién me
ciega el alma? ¡Ay de mí!—
¿Sois portugués?

MIRENO. (*Levántase.*) Imagino
que sí.

MADAL. ¿Que lo imagináis?
¿Desa suerte incierto estáis
de quién sois?

MIRENO. Mi padre vino

al lugar adonde habita,
y es de alguna hacienda dueño,
trayéndome muy pequeño;
mas su trato lo acredita.
Yo creo que en Portugal
nacimos.

MADAL. ¿Sois noble?

MIRENO. Creo
que sí, según lo que veo
en mi honrado natural,
que muestra más que hay en mí.

MADAL. Y ¿darán las obras vuestras,
si fuere menester, muestras
que sois noble?

MIRENO. Creo que sí.
Nunca de hacellas dejé.

MADAL. Creo, decís a cualquier punto.
¿Creéis, acaso, que os pregunto
artículos de la fe?

MIRENO. Por la que debe guardar
a la merced recibida
de vuexcelencia mi vida,
bien los puede preguntar,
que mi fe su gusto es.

MADAL. ¡Qué agradecido venís!
¿Cómo os llamáis?

MIRENO. Don Dionís.

MADAL. Ya os tengo por portugués.
y por hombre principal;
que en este reino no hay hombre
humilde de vuestro nombre,
porque es apellido real;
y sólo el imaginaros
por noble y honrado ha sido
causa que haya intercedido
con mi padre a libertaros.

MIRENO. Deudor os soy de la vida.

MADAL. Pues bien: ya que libre estáis,

¿qué es lo que determináis
hacer de vuestra partida?
¿Dónde pensáis ir?

MIRENO. Intento
ir, señora, donde pueda
alcanzar fama que exceda
a mi altivo pensamiento;
sólo aquesto me destierra
de mi patria.

MADAL. ¿En qué lugar
pensáis que podéis hallar
esa ventura?

MIRENO. En la guerra,
que el esfuerzo hace capaz
para el valor que procuro.

MADAL. Y ¿no será más seguro
que le adquiráis en la paz?

MIRENO. ¿De que modo?

MADAL. Bien podéis
granjealle si dais traza
que mi padre os dé la plaza
de secretario, que veis
que está vaca agora, a falta
de quien la pueda suplir.

MIRENO. No nació para servir
mi inclinación, que es más alta.

MADAL. Pues cuando volar presuma,
las plumas la han de ayudar.

MIRENO. ¿Cómo he de poder volar
con solamente una pluma?

MADAL. Con las alas del favor;
que el vuelo de una privanza
mil imposibles alcanza.

MIRENO. Del privar nace el temor,
como muestra la experiencia;
y tener temor no es justo.

MADAL. Don Dionís: éste es mi gusto.

MIRENO. ¿Gusto es de vuesa excelencia

que sirva al duque? Pues, alto:
cúmplase, señora, ansí,
que ya de un vuelo subí
al primer móvil más alto.
Pues, si en esto gusto os doy,
ya no hay subir más arriba:
como el duque me reciba,
secretario suyo soy.
Vos, señora, lo ordenad.

MADAL. Deseo vuestro provecho,
y ansí lo que veis he hecho;
que, ya que os di libertad,
pesárame que en la guerra
la malograrais; yo haré
cómo esta plaza se os dé
por que estéis en nuestra tierra.

MIRENO. Mil años el cielo guarde
tal grandeza.

MADAL. *(Aparte.)* Honor: huir;
que revienta por salir,
por la boca, amor cobarde. *(Vase.)*

MIRENO. Pensamiento: ¿en qué entendéis?
Vos, que a las nubes subís,
decidme: ¿qué colegís
de lo que aquí visto habéis?
Declaraos, que bien podéis.
Decidme: tanto favor
¿nace de sólo el valor
que a quien os honra ennoblece,
o erraré si me parece
que ha entrado a la parte amor?
¡Jesús! ¡qué gran disparate!
Temerario atrevimiento
es el vuestro, pensamiento;
ni se imagine ni trate:
mi humildad el vuelo abate
con que sube el deseo vario;
mas ¿por qué soy temerario

si imaginar me prometo
que me ama en lo secreto
quien me hace su secretario?
¿No estoy puesto en libertad
por ella? Y, ya sin enojos,
por el balcón de sus ojos,
¿no he visto su voluntad?
Amor me tiene —Callad,
lengua loca; que es error
imaginar que el favor
que de su nobleza nace,
y generosa me hace,
está fundado en amor.
Mas el desear saber
mi nombre, patria y nobleza,
¿no es amor? Ésta es bajeza.
Pues alma, ¿qué puede ser?
Curiosidad de mujer.
Sí; mas ¿dijera, alma, advierte,
a ser eso desa suerte
sin reinar amor injusto:
«don Dionís, éste es mi gusto»?
Este argumento ¿no es fuerte?
Mucho: pero mi bajeza
no se puede persuadir
que vuele y llegue a subir
al cielo de tal belleza;
pero ¿cuándo hubo flaqueza
en mi pecho? Esperar quiero;
que siempre el tiempo ligero
hace lo dudoso cierto;
pues mal vivirá encubierto.
el tiempo, amor y dinero.

Sale TARSO

TARSO. Ya que como a Daniel
del lago, nos han sacado

de la cárcel, donde he estado
con menos paciencia que él;
siendo la ira del duque
nuestro profeta Habacú,
¿qué aguardas más aquí tú
a que el tiempo nos bazuque? (1)
¿Tanto bien nos hizo Avero,
que en él con tal sorna (2) estás?
Vámonos; pero dirás
que quieres ser caballero.
Y poco faltó, por Dios,
para ser en Portugal
caballeros a lo asnal;
pues que supimos los dos
que el duque mandado había
que, por las acostumbradas,
nos diesen las pespuntadas
orden de caballería.

MIRENO. ¡Brito amigo!

TARSO. No soy Brito,
sino Tarso.

MIRENO. Escucha, necio.

TARSO. Estas calmas menosprecio,
que me estorban infinito.
Ya que en Brito me transformas,
sácame de aquestos grillos;
que no fuí yo por novillos
para que me pangas cormas.
¿Quítamelas, y no quieras
que alguna vez güela mal.

MIRENO. ¡Peregrino natural!
¿Que nunca has de hablar de veras?

TARSO. Ya hablo de veras.

MIRENO. Digo que estás temerario.

TARSO. Braguirroto di que estoy.
Pero ¿qué hay de nuevo?

(1) Zarandeo.
(2) Cachaza.

MIRENO. Soy,
por lo menos, secretario
del duque de Avero.
TARSO. ¿Cómo?
MIRENO. La que nos dió libertad,
desta liberalidad
es la autora.
TARSO. Mejor tomo
tus cosas; ya estás en zancos.
MIRENO. Pues aun no lo sabes bien.
TARSO. Darte quiero el parabién;
y pues son los amos francos,
si algún favor me has de hacer
y mi descanso permite,
lo primero es que me quites
estas calzas, que sin ser
presidente, en apretones,
después que las he calzado,
en ellas he despachado
mil húmedas provisiones. *(Vanse.)*

Salen DON ANTONIO *y* DOÑA JUANA

ANTON. Prima, a quedarme aquí mi amor me obliga,
aguarde el rey o no, que mi rey llamo
sólo mi gusto, que el pesar mitiga
que me ha de consumir, si ausente amo.
Pájaro soy; sin ver de amor la liga,
curiosamente me asenté en el ramo
de la hermosura, donde preso quedo;
volar pretendo; pero más me enredo.
El conde de Estremoz sirve y merece
a doña Serafina: yo he sabido
que el duque sus intentos favorece,
y hacerla esposa suya ha prometido:
quien no parece, dicen que parece;
si no parezco, pues, y ya ni olvido
ni ausencia han de poder darme reposo,
¿qué he de esperar ausente y receloso?

Si mi adorado serafín supiera
quién soy, y con decírselo aguardara
recíprocos amores con que hiciera
mi dicha cierta y mi esperanza clara,
más alegre y seguro me partiera,
y de su fe mi vida confiara;
si se puede fiar el que es prudente
del sol de enero y de mujer ausente.

No me conoce y mi tormento ignora,
y así en quedarme mi remedio fundo;
que me parta después, o vaya agora
a la presencia de don Juan Segundo,
importa poco. Prima mía, señora,
si no quieres que llore, y sepa el mundo
el lastimoso fin que ausente espero,
no me aconsejes el salir de Avero.

JUANA. Don Antonio: bien sabes lo que estimo
tu gusto, y que el amor que aquí te enseño,
al deudo corresponde que de primo
nuestra sangre te debe, como a dueño;
si en que te quedes ves que te reprimo,
es por ser este pueblo tan pequeño
que has de dar nota en él.

ANTON. Ya yo procuro
cómo sin que la dé, viva seguro.

Nunca me ha visto el duque, aunque me [ha escrito;
yo sé que busca un secretario esperto,
porque al pasado desterró un delito.

JUANA. Con risa el medio que has buscado advierto.

ANTON. ¿No te parece, si en palacio habito
con este cargo, que podré encubierto
entablar mi esperanza, como acuda
el tiempo, la ocasión, y más tu ayuda?

JUANA. La traza es estremada, aunque indecen- [te (1),
primo, a tu calidad.

---

(1) Imprepia.

ANTON. Cualquiera estado
es noble con amor. No esté yo ausente,
que con cualquier oficio estaré honrado.
JUANA. Búsquese el modo, pues.
ANTON. El más urgente
está ya concluído.
JUANA ¿Cómo?
ANTON. He dado
un memorial al duque en que le pido
me dé esta plaza.
JUANA. Diligente has sido;
mas, sin saberlo yo, culparte quiero.
ANTON. Del cuidadoso el venturoso nace;
hase encargado dél el camarero,
de quien dicen que el duque caudal hace.
JUANA. Mucho priva con él.
ANTON. Mi dicha espero
si el cielo a mis deseos satisface
y el camarero en la memoria tiene
esta promesa.
JUANA. Primo; el duque viene.

Salen el DUQUE *y* FIGUEREDO, *su camarero*

DUQUE. Ya sabes que requiere aquese oficio
persona en quien concurran juntamente
calidad, discreción, presencia y pluma.
FIGUER. La calidad no sé; de esotras partes
la puedo asegurar a vueselencia
que no hay en Portugal quien conforme a ellas
mejor pueda ocupar aquesa plaza;
la letra, el memorial que vueselencia
tiene suyo podrá satisfacelle.
DUQUE. Alto: pues tú le abonas, quiero velle.
FIGUER. Quiérole ir a llamar. —Pero delante
está de vueselencia. Llegá, hidalgo,
que el duque, mi señor, pretende veros.
ANTON. Deme los pies vueselencia.
DUQUE. Alzaos.

¿De dónde sois?

ANTON. Señor: nací en Lisboa.

DUQUE. ¿A quién habéis servido?

ANTON. Heme criado
con don Antonio de Barcelos, conde
de Penela, y os traigo cartas suyas,
en que mis pretensiones favorece.

DUQUE. Quiero yo mucho al conde don Antonio
aunque nunca le he visto. ¿Por qué causa
no me las habéis dado?

ANTON. No acostumbro
pretender por favores lo que puedo
por mi persona, y quise que me viese
primero vueselencia.

DUQUE. Camarero:
su talle y buen estilo me ha agradado.
Mi secretario sois; cumplan las obras
lo mucho que promete esa presencia.

ANTON. Remítome, señor, a la experiencia.

DUQUE. Doña Juana: ¿qué hacen Serafina
y Madalena?

JUANA. En el jardín agora
estaban las dos juntas, aunque entiendo
que mi señora doña Madalena
quedaba algo indispuesta.

DUQUE. Pues ¿qué tiene?

JUANA. Habrá dos días que anda melancólica,
sin saberse la causa deste daño.

DUQUE. Ya la adivino yo; vamos a vella,
que, como darla nuevo estado intento,
la mudanza de vida siempre causa
tristeza en la mujer honrada y noble;
y no me maravillo esté afligida
quien teme un cautiverio de por vida.
Doña Juana: quedaos; que como viene
el mensajero de Lisboa, y conoce (1)

---

(1) Es de suponer que este verso mal medido no es de Tirso sino de corrupción de los manuscritos.

al conde de Penela, vuestro primo,
tendréis que preguntarle muchas cosas.

JUANA. Es, gran señor, así.

DUQUE. Yo gusto deso.
Secretario: quedaos.

ANTON. Tus plantas beso.

(Vanse el DUQUE *y* FIGUEREDO*)*

ANTON. Venturosos han sido los principios.

JUANA. Si tienes por ventura ser criado
de quien eres igual, ventura tienes.

ANTON. Ya por lo menos estaré presente,
y estorbaré los celos de algún modo
que el conde de Estremoz me causa, prima.

JUANA. Dásele dél tan poco a quien adoras,
y deso, primo, está tan olvidada,
que en lo que pone agora su cuidado
es sólo en estudiar con sus doncellas
una comedia, que por ser mañana
Carnestolendas, a su hermana intenta
representar, sin que lo sepa el duque.

ANTON. ¿Es inclinada a versos?

JUANA. Pierde el seso
por cosas de poesía, y esta tarde
conmigo sola en el jardín pretende
ensayar el papel, vestida de hombre.

ANTON. ¿Así me dices eso, doña Juana?

JUANA. Pues, ¿cómo quieres que lo diga?

ANTON. ¿Cómo?
Pidiéndome la vida, el alma, el seso,
en pago de que me hagas tan dichoso
que yo la pueda ver de aquesa suerte:
así vivas más años que hay estrellas;
así jamás el tiempo riguroso
consuma la hermosura de que gozas;
así tus pensamientos se te logren,
y el rey de Portugal, enamorado
de ti, te dé la mano, el cetro y vida.

JUANA. Paso; que tienes talle de casarme
con el Papa, según estás sin seso.
Yo te quiero cumplir aquese antojo.
Vamos y esconderéte en los jazmines
y murtas que de cercas a los cuadros
sirven, donde podrás, si no das voces,
dar un hartazgo al alma.

ANTON. ¿Hay en Avero
algún pintor?

JUANA. Algunos tiene el duque
famosos; mas ¿por qué me lo preguntas?

ANTON. Quiero llevar conmigo quien retrate
mi hermoso serafín; pues fácilmente,
mientras se viste, sacará el bosquejo.

JUANA. ¿Y si lo siente doña Serafina
o el pintor lo publica?

ANTON. Los dineros
ponen freno a las lenguas y lo quitan:
o mátame o no impidas mis deseos.

JUANA. ¡Nunca yo hablara, o nunca tú lo oyeras,
que tal prisa me das! Ahora bien, primo;
en esto puedes ver lo que te quiero.
Busca un pintor sin lengua, y no malparas,
que, según los antojos diferentes
que tenéis los que andáis enamorados,
sospecho para mí que andáis preñados.

(Vanse.)

(Jardín del palacio)

Salen el DUQUE *y* DOÑA MADALENA

DUQUE. Si darme contento es justo,
no estés, hija, desa suerte;
que no consiste mi muerte
más de en verte a ti sin gusto.
Esposo te dan los cielos
para poderte alegrar,
sin merecer tu pesar
el conde de Vasconcelos.

A su padre el de Berganza,
pues que te escribió, responde:
escribe también al conde,
y no vea yo mudanza
en tu rostro ni pesar,
si de mi vejez los días
con esas melancolías
no pretendes acortar.

MADAL Yo, señor, procuraré
no tenerlas, por no darte
pena, si es que un triste es parte
en sí de que otro lo esté.

DUQUE. Si te diviertes, bien puedes.

MADAL. Yo procuraré servirte;
y agora quiero pedirte,
entre las muchas mercedes
que me has hecho, una pequeña.

DUQUE. Con condición que se olvide
aquesa tristeza, pide.

MADAL. Honra: el amor os despeña. *(Aparte.)*
El preso que te pedí
librases, y ya lo ha sido,
de todo punto ha querido
favorecerse de mí:
con sólo esto, gran señor,
parece que me ha obligado;
y así, a mi cargo he tomado,
con su aumento, tu favor.
Es hombre de buena traza,
y tiene estremada pluma.

DUQUE. Dime lo que quiere en suma.

MADAL Quisiera entrar en la plaza
de secretario.

DUQUE. Bien poco
ha que dársela pudiera;
aun no ha un cuarto de hora entera
que está ocupada.

MADAL. *(Aparte.)* Amor loco:

¡muy bien despachado estáis!
Vos perderéis por cobarde,
pues acudistes tan tarde,
que con alas no voláis.

DUQUE. Por orden del camarero
a un mancebo he recibido
que de Lisboa ha venido
con aquese intento a Avero;
y, según lo que en él vi,
muestra ingenio y suficiencia.

MADAL. Si gusta vuestra excelencia,
ya que mi palabra di,
y él está con esperanza
que le he de favorecer,
pues me manda responder
al conde y al de Berganza,
sabiendo escribir tan mal,
quisiera que se quedara
en palacio, y me enseñara;
porque en mujer principal
falta es grande no saber
escribir cuando recibe
alguna carta o si escribe,
que no se pueda leer.
Dándome algunas liciones,
Más clara la letra haré.

DUQUE. Alto, pues; lición te dé
con que enmiendes tus borrones;
que, en fin, con ese ejercicio
la pena divertirás,
pues la tienes porque estás
ociosa; que el ocio es vicio.
Entre por tu secretario.

MADAL. Las manos quiero besarte.

Sale el CONDE DON DUARTE

CONDE. Señor...

DUQUE. ¡Conde don Duarte!

CONDE. Con contento extraordinario
vengo.

DUQUE. ¿Cómo?

CONDE. El rey recibe
con gusto mi pretensión,
y sobre aquesta razón
a vuestra excelencia escribe.
Dice que se servirá
su majestad de que elija,
para honrar mi casa, hija
de vueselencia, y tendrá
cuidado de aquí adelante
de hacerme merced.

DUQUE. Yo estoy
contento deso, y os doy
nombre de hijo; aunque importante
será que disimuléis
mientras doña Serafina
al nuevo estado se inclina;
porque ya, conde, sabéis,
cuán pesadamente lleva
esto de casarse agora.

CONDE. Hará el alma, que la adora,
de sus sufrimientos prueba.

DUQUE. Yo haré las partes por vos
con ella; perder recelos:
el conde Vasconcelos
vendrá pronto, y de las dos
las bodas celebraré
presto.

CONDE. El esperar da pena.

DUQUE. No estéis triste, Madalena.

MADAL. Yo, señor, me alegraré
por dar gusto a vueselencia.

DUQUE. Vamos a ver lo que escribe
el rey.

CONDE. Quien espera, y vive,
bien ha menester paciencia.

(Vanse los dos; queda MADALENA.*)*

MADAL. Con razón se llama amor
enfermedad y locura;
pues siempre el que ama procura,
como enfermo, lo peor.
Ya tenéis en casa, honor,
quien la batalla os ofrece,
y poco hará, me parece,
cuando del alma os despoje,
que quien el peligro escoge
no es mucho que en él tropiece.
Los encendidos carbones
tragó Porcia, y murió luego;
¿qué haré yo, tragando el fuego,
por callar, de mis pasiones?
Diréle, no por razones,
sino por señas visibles,
los tormentos invisibles
que padezco por no hablar;
porque mujer y callar
son cosas incompatibles. *(Vase.)*

Salen DOÑA JUANA, DON ANTONIO *y un* PINTOR

JUANA. Desde este verde arrayán,
donde el sitio al amor hurta[s],
estos jazmines y murtas
ser celosías podrán;
pero que calles te aviso,
y tendrá tu amor buen fin.

ANTON. Ya sé que es mi serafín
ángel deste paraíso;
y yo, si acaso nos siente,
seré Adán echado dél.

JUANA. Yo haré que ensaye el papel
aquí, para que esté enfrente
del pintor, y retratalla

con más facilidad pueda.
Vistiéndose de hombre queda,
pues da en aquesto: a avisalla
voy de que solo y cerrado
está el jardín. Primo, adiós. *(Vase.)*

ANTON. Pintores somos los dos:
ya yo el retrato he copiado,
que enamora y abrasa.

PINTOR. No entiendo ese pensamiento.

ANTON. Naipe es el entendimiento,
pues le llama tabla rasa,
a mil pinturas sujeto,
Aristóteles.

PINTOR. Bien dices.

ANTON. Los colores y matices
son especies del objeto,
que los ojos que le miran
al sentido común dan;
que es obrador donde están
cosas que el ingenio admiran,
tan solamente en bosquejo,
hasta que con luz distinta
las ilumina y las pinta
el entendimiento, espejo
que a todas da claridad.
Pintadas las pone en venta,
y para esto las presenta
a la reina voluntad,
mujer de buen gusto y voto,
que ama el bien perpetuamente,
verdadero o aparente,
como no sea bien ignoto;
que lo que no es conocido
nunca por ella es amado.

PINTOR. Desa suerte lo ha enseñado
el filósofo.

ANTON. Traído
de la pintura el caudal,

todos los lienzos descoge (1),
y entre ellos compra y escoge,
una vez bien y otras mal:
pónele el marco de amor,
y como en velle se huelga,
en la memoria le cuelga,
que es su camarín mayor.
Del mismo modo miré
de mi doña Serafina
la hermosura peregrina;
tomé el pincel, bosquejé,
acabó el entendimiento
de retratar su beldad,
compróle la voluntad,
guarneciole el pensamiento
que a la memoria le trajo,
y viendo cuán bien salió
luego el pintor escribió:
Amor me fecit, abajo.
¿Ves cómo pinta quien ama?

PINTOR. Pues si ya el retrato tienes,
¿por qué a retratalla vienes
conmigo?

ANTON. Aqueste se llama
retrato espiritual;
que la voluntad, ya ves
que es sólo espíritu.

PINTOR. ¿Pues?

ANTON. La vista, que es corporal,
para contemplar, el rato
que estoy solo, su hermosura,
pide agora a tu pintura
este corporal retrato.

PINTOR. No hay filosofía que iguale
a la de un enamorado.

ANTON. Soy en amor graduado;
mas oye, que mi bien sale.

(1) *Descoger:* desplegar.

Sale DOÑA SERAFINA, *vestida de hombre; el vestido sea negro, y con ella* DOÑA JUANA

JUANA. ¿Que aquesto de veras haces?
¿Que en verte así no te ofendas?
SERAF. Fiestas de Carnestolendas
todas paran en disfraces.
Deséome entretener
deste modo; no te asombre
que apetezca el traje de hombre,
ya que no lo puedo ser.
JUANA. Paréceslo de manera,
que me enamoro de ti.
En fin, ¿esta noche es?
SERAF. Sí.
JUANA. A mí más gusto me diera
que te holgaras de otros modos,
y no con representar.
SERAF. No me podrás tú juntar,
para los sentidos todos
los deleites que hay diversos,
como en la comedia.
JUANA. Calla.
SERAF. ¿Qué fiesta o juego se halla,
que no le ofrezcan los versos?
En la comedia, los ojos
¿no se deleitan y ven
mil cosas que hacen que estén
olvidados sus enojos?
La música ¿no recrea
el oído, y el discreto
no gusta allí del conceto
y la traza que desea?
Para el alegre ¿no hay risa?
Para el triste ¿no hay tristeza?
¿Para el agudo, agudeza?
Allí el necio, ¿no se avisa?
El ignorante ¿no sabe?

¿No hay guerra para el valiente,
consejos para el prudente,
y autoridad para el grave?
Moros hay, si quieres moros;
si apetecen tus deseos
torneos, te hacen torneos;
si toros, correrán toros.
¿Quieres ver los epitetos
que de la comedia he hallado?
De la vida es un traslado,
sustento de lo discreto,
dama del entendimiento,
de los sentidos banquete,
de los gustos ramillete,
esfera del pensamiento,
olvido de los agravios,
manjar de diversos precios,
que mata de hambre a los necios
y satisface a los sabios.
Mira lo que quieres ser
de aquestos dos bandos.

JUANA. Digo
que el de los discretos sigo,
y que me holgara de ver
la farsa infinito.

SERAF. En ella
¿cuál es lo malo que sientes?

JUANA. Sólo que tú representes.

SERAF. ¿Por qué, si sólo han de vella
mi hermana y sus damas? Calla;
de tu mal gusto me admiro.

ANTON. Suspenso, las gracias miro
con que habla; a retratalla
comienza, si humana mano
al vivo pueda copiar
la belleza singular
de un serafín.

PINTOR. Es humano:

bien podré.

ANTON. Pues ¿no te admiras
de su vista soberana?

SERAF. El espejo, doña Juana;
tocaréme.

JUANA. *(Trae un espejo.)* Si te miras
en él, ten, señora, aviso,
no te enamores de ti.

SERAF. ¿Tan hermosa estoy ansí?

JUANA. Temo que has de ser Narciso.

SERAF. ¡Bueno! Deste suerte quiero
los cabellos recoger,
por no parecer mujer
cuando me quite el sombrero:
pon el espejo. ¿A qué fin
le apartas?

JUANA. Porque así impido
a un pintor que está escondido
por copiarte en el jardín.

SERAF. ¿Cómo es eso?

PINTOR. ¡Vive Dios,
que aquesta mujer nos vende!
Si el duque acaso esto entiende,
medrado habemos los dos.

SERAF. ¿En el jardín hay pintor?

JUANA. Sí; deja que te retrate.

ANTON. ¡Cielos! ¿Hay tal disparate?

SERAF. ¿Quién se atrevió a eso?

JUANA. Amor,
que, como en Chipre, se esconde
enamorado de ti
por retratarte.

ANTON. Eso sí.

JUANA. *(Aparte.)* ¡Cuál estará agora el conde!

SERAF. Humor tienes singular
aquesta tarde.

PINTOR. ¿Ha de ser
el vestido de mujer

con que la he de retratar,
o como agora está?

ANTON. Sí,
como está; por que se asombre
el mundo, que en traje de hombre
un serafín ande ansí.

PINTOR. Sacado tengo el bosquejo,
en casa lo acabaré.

SERAF. Ya de tocarme acabé;
quitar puedes el espejo.
¿No está bien este cabello?
¿Qué te parezco?

JUANA. Un Medoro.

SERAF. No estoy vestida de moro.

JUANA. No; mas pareces más bello.

SERAF. Ensayemos el papel,
pues ya estoy vestida de hombre.

JUANA. ¿Cuál es de la farsa el nombre?

SERAF. *La portuguesa cruel.*

JUANA. En ti el poeta pensaba,
cuando así la intituló.

SERAF. Portuguesa soy; cruel, no.

JUANA. Pues a amor ¿qué le faltaba,
a no sello?

SERAF. ¿Qué crueldad
has visto en mí?

JUANA. No tener
a nadie amor.

SERAF. *(Se va poniendo el cuello y capa y sombrero.)*
¿Puede ser
el no tener voluntad
a ninguno, crueldad? Di.

JUANA. ¿Pues no?

SERAF. ¿Y será justa cosa,
por ser para otros piadosa,
ser yo cruel para mí?

PINTOR. Pardiez, que ella dice bien.

ANTON. ¡Pobre del que tal sentencia

está escuchando!

PINTOR. Paciencia.

ANTON. Mis tormentos me la den.

SERAF. Déjame ensayar, acaba;
verás cuál hago un celoso.

JUANA. ¿Qué papel haces?

SERAF. Famoso.
Un príncipe que sacaba
al campo, a reñir por celos
de su dama, a un conde.

JUANA. Pues,
comienza.

SERAF. No sé lo que es;
pero escucha, y fingirélos. *(Representa.)*
Conde: vuestro atrevimiento
a tal término ha venido,
que ya la ley ha rompido
de mi honrado sufrimiento.
Espantado estoy, por Dios,
de vos, y de Celia bella:
de vos, porque habláis con ella;
della, porque os oye a vos;
que, supuesto que sabéis
las conocidas ventajas
que hace a vuestras prendas bajas
el valor que conocéis
en mí, desacato ha sido:
en vos, por habella amado,
y en ella, por haber dado
a vuestro amor loco oído.
Oye: no hay satisfacciones,
que serán intentos vanos;
pues como no tenéis manos,
queréis vencerme a razones.
Haga vuestro esfuerzo alarde,
acábense mis recelos,
que no es bien que me dé celos
un hombre que es tan cobarde. *(Echa mano.)*

Muestra tu valor agora,
medroso, infame enemigo;
muere.

JUANA. ¡Ay!, ten: que no es conmigo
la pesadumbre, señora.

SERAF. ¿Qué te parece?

JUANA. Temí.

SERAF. Enojéme.

JUANA. Pues ¿qué hicieras,
a ser los celos de veras,
si te enojas siendo así?

ANTON. ¡Hay celos con mayor gracia!

PINTOR. Estoy mirándola loco.
¡Donaire extraño!

JUANA. Por poco
sucediera una desgracia,
de verte tuve temor;
un valentón bravo has hecho.

SERAF. Oye agora. Satisfecho
de mi dama y de su amor,
del enojo que la di,
muy a lo tierno la pido
me perdone arrepentido.

JUANA. Eso será bueno: di.

SERAF. *(Representa.)* Los cielos me son testigos,
si el enojo que te he dado,
al alma no me ha llegado.
Mi bien, seamos amigos;
basta, no haya más enojos,
pues yo propio me castigo,
vuelvan a jugar conmigo
las dos niñas desos ojos;
Quitad el ceño, no os note
mi amor, niñas soberanas;
que dirá que sois villanas,
viéndoos andar con capote.
¿De qué sirve este desdén,
mi gloria, mi luz, mi cielo,

mi regalo, mi consuelo,
mi paz, mi gloria, mi bien?
¿Que no me quieres mirar?
¡Que esto no te satisfaga!
Mátame, toma esta daga.
Mas no me querrás matar;
que aunque te enojes, yo sé
que en mí tu gusto se emplea.
No haya más, mi Celia, ea;
mira que me enojaré.
(Va a abrazar a Doña Juana.)
Como te adoro, me atrevo;
no te apartes, no te quites.

JUANA. Pasito que te derrites;
de nieve te has vuelto sebo.
Nunca has sido, sino agora,
portuguesa.

ANTON. ¡Ah cielo santo!
¡Quién la dijera otro tanto
como ha dicho!

JUANA. Di, señora:
¿es posible que quien siente
y hace así un enamorado
no tenga amor?

SERAF. No me ha dado
hasta agora ese accidente,
porque su provecho es poco,
y la pena que da es mucha.
Aqueste romance escucha;
¡verás cuán bien finjo un loco! *(Representa.)*
¿Que se casa con el conde,
y me olvida, Celia? ¡Cielos!
Pero mujer y mudanza
tienen un principio mesmo.
¿Qué se hicieron los favores,
que cual flores prometieron
el fruto de mi esperanza?
Mas fueron flores de almendro;

un ciorzo las ha secado.
Loco estoy, matarme quiero;
piérdase también la vida,
pues ya se ha perdido el seso.
Mas, no; vamos a las bodas;
que razón es, pensamiento,
pues que la costa pagamos,
que a mi costa nos holguemos.
En la aldea se desposan
los dos a lo villanesco;
que pues se casa en aldea,
villana su amor [la] ha vuelto;
celos, volemos allá,
pues tenéis alas de fuego.
A lindo tiempo llegamos,
desde aquí verla podemos.
Ya salen los convidados,
el tamboril toca el tiempo,
porque a su son bailan todos;
pues ellos bailan, bailemos.
Va: *Perantón, Perantón...* *(Baila.)*
Haced mudanzas, deseos,
pues vuestra Celia las hace:
tocá, Pero Sastre, el viejo,
pues que la villa lo paga.
Ya se entraron allá dentro,
ya quieren dar colación:
la capa del sufrimiento *(Rebózase.)*
me rebozaré, que así
podré llegar encubierto,
y arrimarme a este rincón,
como mis merecimientos.
Avellanas y tostones
dan a todos. ¡Hola! ¡Ah necios!
Llegad, tomaré un puñado. —
¿Yo necio? Mentís. — ¿Yo miento?
Tomad. — ¿A mí bofetón?
(Dase un bofetón.)

Muera. — Téngase. ¿Qué es esto?
(Mete mano.)
No fué nada. —Sean amigos.—
Yo lo soy. — Yo serlo quiero. *(Envaina.)*
Ya ha llegado el señor cura.
Por muchos años y buenos
se regocije esta casa
con bodas y casamientos. —
Por vertú de su mercé,
señor cura: aquí hay asiento. —
Eso no. — Tome esta silla
de costillas. — (1). No haré, cierto. —
Digo que la ha de tomar. —
Este escaño estaba bueno;
mas por no ser porfiado... —
Ya se ha rellanado el viejo.
Echá vino, Hernán Alonso;
beba el cura, y vaya arreo. —
¡Oh, cómo sabe a la pega! — (2)
También Celia sabe a celos.
Ya es hora del desposorio;
todos están en pie puestos;
los novios y los padrinos
enfrente, y el cura enmedio. —
Fabio: ¿queréis por esposa
a Celia hermosa? — Sí, quiero. —
Vos, Celia: ¿queréis a Fabio? —
Por mi esposo y por mi dueño. —
¡Oh perros! ¡En mi presencia! *(Mete mano.)*
El príncipe Pinabelo
soy, mueran los desposados,
el cura, la gente, el pueblo. —
¡Ay, que nos mata! — Pegadles,
celos míos, vuestro incendio:
pues Sansón me he vuelto, muera

---

(1) Asiento plegable con varas curvas semejantes a costillas.
(2) De *empegar*. Sabe a la pez.

Sansón con los Filisteos;
que no hay quien pueda resistir el fuego,
cuando le enciende amor y soplan celos.

JUANA. ¡Pecadora de mí; tente!
Que no soy Celia, ni Celio.
para airarte contra mí.

SERAF. Encendíme, te prometo,
como Alejandro lo hacía,
llevado del instrumento
que aquel músico famoso
le tocaba.

ANTON. ¿Pudo el cielo
juntar más donaire y gracia
solamente en un sujeto?
¡Dichoso quien, aunque muera,
le ofrece sus pensamientos!

JUANA. Diestra estás; muy bien lo dices.

SERAF. Ven, doña Juana; que quiero
vestirme sobre este traje
el mío, hasta que sea tiempo
de representar.

JUANA. A fe,
que se ha de holgar en extremo
tu melancólica hermana.

SERAF. Entretenerla deseo. *(Vanse las dos.*

PINTOR. Ya se fueron.

ANTON. Ya quedé.
con su ausencia triste y ciego.

PINTOR. En fin: ¿quieres que de hombre
la pinte?

ANTON. Sí; que deseo
contemplar en este traje
lo que agora visto habemos;
pero truécala el vestido.

PINTOR. Pues ¿no quieres que sea negro?

ANTON. Dará luto a mi esperanza;
mejor es color de cielos
con oro, y pondrán en él

oro, amor y azul mis celos.
PINTOR. Norabuena.
ANTON. ¿Para cuándo
me le tienes de dar hecho?
PINTOR. Para mañana sin falta.
ANTON. No repares en el precio;
que no trujera amor desnudo el cuerpo,
a ser interesable y avariento. *(Vanse.)*

Salen DOÑA MADALENA *y* MIRENO

MADAL. Mi maestro habéis de ser
desde hoy.
MIRENO. ¿Qué ha visto en mí,
vuestra excelencia, que así
me procura engrandecer?
Dará lición al maestro
el discípulo desde hoy.
MADAL. *(Aparte.)* ¡Qué claras señales doy
del ciego amor que le muestro!
MIRENO. *(Aparte.)* ¿Qué hay que dudar, esperanza?
Esto ¿no es tenerme amor?
Dígalo tanto favor,
muéstrelo tanta privanza.
Vergüenza: ¿por qué impedís
la ocasión que el cielo os da?
Daos por entendido ya.
MADAL. Como tengo, don Dionís,
tanto amor...
MIRENO. *(Aparte.)* ¡Ya se declara,
ya dice que me ama, cielos!
MADAL. ...al conde de Vasconcelos,
antes que venga, gustara,
no sólo hacer buena letra,
pero saberle escribir,
y por palabras decir
lo que el corazón penetra;
que el poco uso que en amar
tengo, pide que me adiestre

esta experiencia, y me muestre
cómo podré declarar
lo que tanto al alma importa,
y el amor mismo me encarga;
que soy en quererle larga,
y en significado corta.
En todo os tengo por diestro;
y así, me habéis de enseñar
a escribir, y a declarar
al conde mi amor, maestro.

MIRENO. *(Aparte.)* ¿Luego no fué en mi favor,
pensamiento lisonjero,
sino porque sea tercero
del conde? ¿Veis, loco amor,
cuán sin fundamento y fruto
torres habéis levantado
que quimeras, que ya han dado
en el suelo? Como el bruto
en esta ocasión he sido,
en que la estatua iba puesta,
haciéndola el pueblo fiesta,
que loco y desvanecido
creyó que la reverencia,
no a la imagen que traía,
sino a él solo se hacía;
y con brutal impaciencia
arrojalla de sí quiso
hasta que se apaciguó
con el castigo, y cayó
confuso en su necio aviso.
¿Así el favor corresponde
con que me he desvanecido?
Basta; que yo el bruto he sido,
y la estatua es sólo el conde.
Bien puedo desentonarme,
que no es la fiesta por mí.

MADAL. *(Aparte.)* Quise deslumbrarle así;
que fué mucho declararme.

Mañana comenzaréis,
maestro, a darme lición.

MIRENO. Servirte es mi inclinación.

MADAL. Triste estáis.

MIRENO. ¿Yo?

MADAL. ¿Qué tenéis?

MIRENO. Ninguna cosa.

MADAL. *(Aparte.)* Un favor
me manda amor que le dé.

(Tropieza, y dale la mano Mireno.)

¡Válgame Dios! Tropecé...
(Aparte.) Que siempre tropieza amor.
El chapín se me torció.

MIRENO. *(Aparte.)* ¡Cielos! ¿Hay ventura igual?
¿Hízose acaso algún mal
vueselencia?

MADAL. Creo que no.

MIRENO. ¿Que la mano la tomé?

MADAL. Sabed que al que es cortesano
le dan, al darle una mano,
para muchas cosas pie. *(Vase.)*

MIRENO. «¡Le dan, al darle una mano,
para muchas cosas pie!»
De aquí, ¿qué colegiré?
Decid, pensamiento vano:
en aquesto, ¿pierdo o gano?
¿Qué confusión, qué recelos
son aquestos? Decid, cielos:
¿esto no es amor? Mas no,
que llevo la estatua yo
del conde de Vasconcelos.
Pues ¿qué enigma es darme pie
la que su mano me ha dado?
Si sólo el conde es amado,
¿qué es lo que espero? ¿Qué sé?
Pie o mano, decir, ¿por qué
dais materia a mis desvelos?
Confusión, amor, recelos,
¿soy amado? Pero no,

que llevo la estatua yo
del conde de Vasconcelos.
  El pie que me dió será
pie para darla lición
en que escriba la pasión
que el conde y su amor la da.
Vergüenza, sufrí y callá;
  basta ya, atrevidos vuelos,
vuestra ambición, si a los cielos
mi desatino os subió;
que llevo la estatua yo
del conde de Vasconcelos.

FIN DEL ACTO SEGUNDO

ACTO TERCERO

(Casa de un labrador)

Salen LAURO, *pastor viejo, y* RUY LORENZO *también de pastor*

RUY. Si la edad y la prudencia
ofrece en la adversidad,
Lauro discreto, paciencia,
vuestra prudencia y edad
pueden hacer la esperiencia.
Dejad el llanto prolijo,
que, si vuestro ausente hijo
es causa que lloréis tanto,
él convertirá ese llanto
brevemente en regocijo.
Su virtud misma procura
honrar vuestra senectud
y hacer su dicha segura,
que siempre fué la virtud
principio de la ventura;
y pues la tiene por madre,
no es bien que ese llanto os cuadre.

LAURO. Eso mis males lo vedan,
porque los hijos heredan
las desdichas de su padre.
No le he dejado otra herencia
si no es la desdicha mía,
que era el muro que tenía

mi vejez.

RUY. ¿Esa es prudencia?
Si por trabajos un hombre
es bien que llore y se asombre,
¿quién los tiene como yo,
a quien el cielo quitó
honra, patria, hacienda y nombre?
Un hijo sólo perdéis,
aunque no en las esperanzas
que de gozalle tenéis;
pero yo, con las mudanzas
que de mi vida sabéis,
¿cuándo veré que el furor
del tiempo y de su rigor
dejará de hacerme ultraje,
despreciado en este traje
y con nombre de traidor?
Consoladme vos a mí,
pues es más lo que perdí.

LAURO. ¿Más que un hijo habéis perdido?

RUY. El honor, ¿no es preferido
a la vida y hijos?

LAURO. Sí.

RUY. Pues si no tengo esperanza
de dar a mi honor remedio,
más pierdo.

LAURO. En una venganza
no es bien que se tome el medio
deshonrado; el que la alcanza
con medios que injustos son,
cuando más vengarse intenta,
queda con mayor afrenta;
dando color de traición
el contrahacer firma y sello
del duque para matar
al conde, pudiendo hacello
de otro modo y no manchar
vuestro honor por socorrello,

y pues parece castigo
el que os da el tiempo enemigo,
justo es que estéis consolado,
pues padecéis por culpado;
pero el que usa conmigo
mi desdicha es diferente,
pues, aunque no lo merezco,
me castiga.

RUY. Un hijo ausente
no es gran daño.

LAURO. El que padezco
tantos años inocente
os diré, si los ajenos
daños hacen que sean menos
los propios males.

RUY. No son
de aquesa falsa opinión
los generosos y buenos;
porque el prudente y discreto
siente el daño ajeno tanto
como el propio.

LAURO. Si secreto
me guardáis, diraos mi llanto
su historia.

RUY. Yo os le prometo.
Mas llorar un hijo ausente
un hombre es mucha flaqueza.

LAURO. Pierdo, con perdelle, mucho.

RUY. ¿Qué más estremos hicieras,
a tener tú mis desdichas?

LAURO. ¡Ay Dios! Si quien soy supieras,
¡cómo todas tus desgracias
las juzgaras por pequeñas!

RUY. Ese enigma me declara.

LAURO. Pues con ese traje quedas
en el lugar de mi hijo,
escucha mi suerte adversa.
Yo, Ruy Lorenzo, no soy

hijo destas asperezas,
ni el traje que tosco ves
es mi natural herencia;
no es de Lauro mi apellido,
ni mi patria aquesta sierra,
ni jamás mi sangre noble
supo cultivar la tierra.
Don Pedro de Portugal,
me llaman, y de la cepa
de los reyes lusitanos
desciendo por línea recta.
El rey don Duarte fué
mi hermano, y el que ahora reina
es mi sobrino.

RUY. ¿Qué escucho?
¡Duque de Coimbra! Deja
que sellen tus pies mis labios,
y que mis desdichas tengan
fin, pues con las tuyas son
o ningunas o pequeñas.

LAURO. Alza del suelo y escucha,
si acaso tienes paciencia
para saber los vaivenes
de la fortuna y su rueda.
Murió el rey de Portugal,
mi hermano, en la primavera
de su juventud lozana;
mas la muerte, ¿qué no seca?
De seis años dejó un hijo,
que agora, ya hombre, intenta
acabar mi vida y honra;
y dejando la tutela
y el gobierno destos reinos
solos a mí y a la reina.
Murió el rey; sobre el gobierno
hubo algunas diferencias
entre mí y la reina viuda,
porque jamás la soberbia

supo admitir compañía
en el reinar, y las lenguas
de envidiosos lisonjeros
siempre disensiones siembran.
Metióse el rey de Castilla
de por medio, porque era
la reina su hermana: en fin,
nuestros enojos concierta
con que rija en Portugal
la mitad del reino, y tenga
en su poder al infante.
Vine en esta conveniencia;
mas no por eso cesaron
las envidias y sospechas,
hasta alborotar el reino
asomos de armas y guerras.
Pero cesó el alboroto
porque, aunque era moza y bella
la reina, un mal repentino
dió con su ambición en tierra.
Murió, en fin; gocé el gobierno
portugués sin competencia,
hasta que fué Alfonso Quinto,
de bastante edad y fuerzas.
Caséle con una hija
que me dió el cielo, Isabela
por nombre; aunque desdichada,
pues ni la estima ni precia.
Juntáronsele al rey mozo
mil lisonjeros, que cierran
a la verdad en palacio,
como es costumbre, las puertas.
Entre ellos un mi enemigo,
de humilde naturaleza,
Vasco Fernández por nombre,
gozó la privanza excelsa;
y queriendo derribarme
para asegurarse en ella,

a mi propio hermano induce,
y, para engañarle, ordena
hacerle entender que quiero
levantarme con sus tierras
y combatirle a Berganza,
siendo duque por mí della.
Creyólo, y ambos a dos
al nuevo rey aconsejan,
si quiere gozar seguro
sus estados, que me prenda;
para lo cual alegaban
que di muerte con hïerbas
a doña Leonor, su madre,
y que con traiciones nuevas
quitalle intentaba el reino,
pidiendo al de Ingalaterra
socorro, con cartas falsas
en que mi firma le enseñan.
Creyólo; desposeyóme
de mi estado y las riquezas
que en el gobierno adquirí;
llevóme a una fortaleza,
donde, sin bastar los ruegos
ni lágrimas de Isabela,
mi hija y su esposa, manda
que me corten la cabeza.
Supe una noche propicia
el rigor de la sentencia,
y, ayudándome el temor,
las sábanas hechas vendas,
me descolgué de los muros,
y en aquella noche mesma
di aviso que me siguiese
a mi esposa la duquesa.
Supo el rey mi fuga, y manda
que al son de roncas trompetas
me publiquen por traidor,
dando licencia a cualquiera

para quitarme la vida,
poniendo mortales penas
a quien, sabiendo de mí,
no me lleve a su presencia.
Temí el rigor del mandato,
y como en la suerte adversa
huye el amistad, no quise
ver en ellos su esperiencia.
Llegamos hasta estos montes,
donde de parto y tristeza
murió mi esposa querida,
y un hijo hermoso me deja,
que en este traje criado,
comprando ganado y tierras,
y hecho de duque pastor,
ha ya veinte primaveras
que han dado flores a mayo,
hierba al prado y a mí penas,
que el estado en que me ves
conserva; mas todo fuera
poco, a no perder la vista
del hijo en cuya presencia
olvidaba mis trabajos.
Mira si es razón que sienta
la falta que a mi vejez
hace su vista, y que pierda
la vida, que ya se acaba,
entre lágrimas molestas.

RUY. Notables son los sucesos
que en el mundo representa
el tiempo caduco y loco,
autor de tantas tragedias.
La tuya, famoso duque,
hace que olvide mis penas;
mas yo espero en Dios que presto
dará fortuna la vuelta.
Bien claras señales daba
de tu hijo la presencia,

que, cual ceniza, el sayal
las llamas de su nobleza
encubría: quiera el cielo
que rico y próspero vuelva
a consolarte.

Salen VASCO *y* BATO, *pastores*

BATO. Nuesamo:
con cinco carros de leña
vamos a Avero. ¿Manda algo
para allá?

LAURO. Bato: que vengas
presto.

BATO. ¿No quieres más?

LAURO. No.

BATO. Pues yo sí, porque quisiera
que, a cuenta de mi soldada,
ocho veintenes me diera
para una cofia de pinos
que me ha pedido Firela.

LAURO. Ven por ellos.

BATO. En mi tarja (1)
nueve rayas tengo hechas,
porque otros cinco tostones
debo no más.

LAURO. ¡Qué simpleza!

(Vanse BATO *y* LAURO.*)*

VASCO. ¿No podría yo ir allá?

RUY. No, Vasco amigo, si intentas
no perderte; que ya sabes
nuestro peligro y afrenta.

VASCO. ¿Hasta cuándo quieres que ande
en esta vida grosera,
de mis calzas desterrado?
Vuélveme, señor a ellas,

---

(1) Tablilla o caña, donde cada muesca representa una deuda: un pan, un cordero, etc.

y líbrame de un mastín
que anoche desde la puerta
de Melisa me llevó
dos cuarterones de pierna.

RUY. Pues ¿qué hacías tú de noche
a su puerta?

VASCO. Hay cosas nuevas.
Si aquí es el amor quillotro,
quillotrado estoy por ella:
hízome ayer un favor
en el valle.

RUY. ¿Y fué?

VASCO. Que tiesa
me dió un pellizco en un brazo,
terrible, y me hizo señas
con el ojo zurdo.

RUY. ¿Y ese
es buen favor?

VASCO. ¡Linda flema!
Ansí se imprime el carácter
del amor en las aldeas. *(Vanse.)*

(Salón en el palacio)

Salen MIRENO *y* TARSO

TARSO. ¿Más muestras quieres que dé
que decirte, al «cortesano
le dan, al dalle una mano,
para muchas cosas pie»?
¿Puede decirlo más claro
una mujer principal?
¿Qué aguardabas, pese a tal,
amante corto y avaro,
que ya te daré este nombre,
pues no te osas atrever?
¿Esperas que la mujer
haga el oficio de hombre?

¿En qué especie de animales
no es la hembra festejada,
perseguida y paseada
con amorosas señales?
A solicitalla empieza,
que lo demás es querer
el orden sabio romper
que puso la naturaleza.
Habla; no pierdas por mudo
tal mujer y tal estado.

MIRENO. Un laberinto intrincado
es Tarso, el que temo y dudo.
No puedo determinarme
que me prefieran los cielos
al conde de Vasconcelos;
pues llegando a compararme
con él, sé que es gran señor,
mozo discreto, heredero
de Berganza, y desespero,
viéndome humilde pastor,
rama vil de un tronco pobre,
y que tan noble mujer
no es posible quiera hacer
más favor que al oro, al cobre.
Mas después el afición
con que me honra y favorece,
las mercedes que me ofrece
su afable conversación,
el suspenderse, el mirar,
las enigmas y rodeos
con que explica sus deseos,
el fingir un tropezar
—si es que fué fingido—, el darme
la mano, con la razón
que me tiene en confusión
se animan para animarme,
y entre esperanza y temor,
como ya, Brito, me abraso,

llego a hablalla, tengo el paso;
tira el miedo, impele amor,
y cuando más me provoca
y hablalla el alma comienza,
enojada la vergüenza
llega y tápame la boca.

TARSO. ¿Vergüenza? ¿Tal dice un hombre?
¡Vive Dios, que estoy corrido
con razón de haberte oído
tal necedad! No te asombre
que así llame a tu temor,
por no llamarle locura.
¡Miren aquí qué criatura,
o qué doncella Teodor,
para que con este espacio
diga que vergüenza tiene!
No sé yo para qué viene
el vergonzoso a palacio.
Amor vergonzoso y mudo
medrará poco, señor,
que, a tener vergüenza amor,
no le pintaran desnudo.
No hayas miedo que se ofenda
cuando digas tus enojos;
vendados tiene los ojos,
pero la boca sin venda.
Habla, o yo se lo diré;
porque, si callas, es llano
que quien te dió pie en la mano
tiene de dejarte a pie.

MIRENO. Ya, Brito, conozco y veo
que amor que es mudo no es cuerdo;
pero si por hablar pierdo
lo que callando poseo,
y agora con mi privanza
y imaginar que me tiene
amor, vive y se entretiene
mi incierta y loca esperanza,

y declarando mi amor
tengo de ver en mi daño
el castigo y desengaño,
que espero de su rigor,
¿no es mucho más acertado,
aunque la lengua sea muda,
gozar un amor en duda,
que un desdén averiguado?
Mi vergüenza esto señala,
esto intenta mi secreto.

TARSO. Dijo una vez un discreto
que en tres cosas era mala
la vergüenza y el temor.

MIRENO. ¿Y eran?

TARSO. Escucha despacio:
en el púlpito, en palacio
y en decir uno su amor.
En palacio estás, los cielos
te abren camino anchuroso;
no pierdas por vergonzoso.

MIRENO. Si al conde de Vasconcelos
ama, ¿cómo puede ser?

TARSO. No lo creas.

MIRENO. Si lo veo,
y ella lo dice.

TARSO. Es rodeo
y traza para saber
si amas; a hablarla comienza,
que, par Dios, si la perdemos,
que al monte volver podemos
a segar.

MIRENO. Si la vergüenza
me da lugar yo lo haré,
aunque pierda vida y fama.

Sale DOÑA JUANA

JUANA. Mirad, don Dionís, que os llama
mi señora...

MIRENO. Luego iré.
TARSO. Ánimo.
MIRENO. *(Aparte.)* ¿Qué confusión
me entorpece y acobarda?
JUANA. Venid presto, que os aguarda. *(Vase.)*
TARSO. Desenvuelve el corazón;
hablala, señor, de espacio.
MIRENO. Tiemblo, Brito.
TARSO. Esto es forzoso;
bien dicen que al vergonzoso
le trajo el diablo a palacio. *(Vase.)*

(Habitación de Doña Madalena)

Sale DOÑA MADALENA

MADAL. Ciego dios, ¿que es avergüenza
la cortedad de un temor?
¿De cuándo acá niño amor,
sois hombre y tenéis vergüenza?
¿Es posible que vivís
en don Dionís, y que os llama
su dios? Sí: pues, si me ama,
¿cómo calla don Dionís?
Decláreme sus enojos,
pues callar un hombre es mengua;
dígame una vez su lengua
lo que me dicen sus ojos.
Si teme mi calidad
su bajo y humilde estado,
bastante ocasión le ha dado
mi atrevida libertad.
Ya le han dicho que le adoro
mis ojos, aunque fué en vano;
la lengua, al dalle la mano
a costa de mi decoro;
ya abrió el camino que pudo
mi vergüenza. Ciego infante:

ya que me habéis dado amante,
¿para qué me le dais mudo?
Mas no me espanto lo sea,
pues tanto amor me humilló;
que, aun diciéndoselo yo,
podrá ser que no lo crea.

Sale DOÑA JUANA

JUANA Don Dionís, señora, viene
a dar lición.

MADAL. *(Aparte.)* A dar
lición vendrá de callar,
pues aun palabras no tiene.
De suerte me trata amor
que mi pena no consiente
más silencio; abiertamente
le declararé mi amor,
contra el común orden y uso;
mas tiene de ser de modo
que, diciéndoselo todo,
le he de dejar más confuso.

(Siéntase en una silla; finge que duerme, y sale MIRENO, *descubierto.)*

MIRENO. ¿Qué manda vuestra excelencia?
¿Es hora de dar lición?
(Aparte.) Ya comienza el corazón
a temblar en su presencia.
Pues que calla, no me ha visto;
sentada sobre la silla,
con la mano en la mejilla
está.

MADAL. *(Aparte.)* En vano me resisto:
yo quiero dar a entenderme
como que dormida estoy.

MIRENO. Don Dionís, señora, soy.
¿No me responde? Si duerme;

durmiendo está. Atrevimiento,
agora es tiempo; llegad
a contemplar la beldad
que ofusca mi entendimiento.
Cerrados tiene los ojos,
llegar puedo sin temor;
que, si son flechas de amor,
no me podrán dar enojos.
¿Hizo el Autor soberano
de nuestra naturaleza
más acabada belleza?
Besarla quiero una mano.
¿Llegaré? Sí; pero no;
que es la reliquia divina,
y mi humilde boca, indina
de tocalla. ¡Pero yo
soy hombre y tiemblo! ¿Qué es esto?
Ánimo. ¿No duerme? Sí.
(Llega y retírase.)
Voy. ¿Si despierta? ¡Ay de mí,
que el peligro es manifiesto,
y moriré si recuerda
hallándome deste modo!
Para no perderlo todo,
bien es que esto poco pierda.
El temor al amor venza;
afuera quiero esperar.

MADAL. *(Aparte.)* ¡Que no se atrevió a llegar!
¡Mal haya tanta vergüenza!

MIRENO. No parezco bien aquí
solo, pues durmiendo está.
Yo me voy.

MADAL. *(Aparte.)* ¿Que al fin se va?
(Como que duerme.)
Don Dionís...

MIRENO. ¿Llamóme? Sí.
¡Qué presto que despertó!
Miren, ¡qué bueno quedara

si mi intento ejecutara!
¿Está despierta? Mas no;
que en sueños pienso que acierta
mi esperanza entretenida;
y quien me llama dormida,
no me quiere mal despierta.
¿Si acaso soñando está
en mí? ¡Ay cielos! ¿quién supiera
lo que dice?

MADAL. *(Como que duerme.)* No os vais fuera;
llegaos, don Dionís acá.

MIRENO. Llegar me manda su sueño.
¡Qué venturosa ocasión!
Obedecella es razón,
pues aunque duerme, es mi dueño.
Amor: acabad de hablar;
no seáis corto.

MADAL. *(Todo lo que hablare ella es como entre sueños.)*
Don Dionís:
ya que a enseñarme venís
a un tiempo a escribir y amar
al conde de Vasconcelos...

MIRENO. ¡Ay celos! ¿qué es lo que veis?

MADAL. Quisiera ver si sabéis
qué es amor y qué son celos;
porque será cosa grave
que ignorante por vos quede,
pues ninguno otro puede
enseñar lo que no sabe.
Decidme: ¿tenéis amor?
¿De qué os ponéis colorado?
¿Qué vergüenza os ha turbado?
Responded, dejá el temor;
que el amor es un tributo
y una deuda natural
en cuantos viven, igual
desde el ángel hasta el bruto.

(Ella misma se pregunta y responde como que duerme.)

Si esto es verdad, ¿para qué
os avergonzáis así?
¿Queréis bien? —Señora: sí—
¡Gracias a Dios que os saqué
una palabra siquiera!

MIRENO. ¿Hay sueño más amoroso?
¡Oh, mil veces venturoso
quien le escucha y considera!
Aunque tengo por más cierto
que yo solamente soy
el que soñándolo estoy;
que no debo estar despierto.

MADAL. ¿Ya habéis dicho a vuestra dama
vuestro amor? No me he atrevido—.
¿Luego nunca lo ha sabido—?
Como el amor todo es llama,
bien lo habrá echado de ver
por los ojos lisonjeros,
que son mudos pregoneros—.
La lengua tiene que hacer
ese oficio que no entiende
distintamente quien ama
esa lengua que se llama
algarabía de aliende (1).
¿No os ha dado ella ocasión
para declararos? —Tanta,
que mi cortedad me espanta.—
Hablad, que esa suspensión
hace a vuestro amor agravio.—
Temo perder por hablar
lo que gozo por callar.—
Eso es necedad, que un sabio
al que calla y tiene amor
compara a un lienzo pintado
de Flandes que está arrollado.

---

(1) Por allende. Lengua de los moros.

Poco medrará el pintor
si los lienzos no descoge
que al vulgo quiere vender
para que los pueda ver.
El palacio nunca acoge
la vergüenza; esa pintura
desdoblad, pues que se vende,
que el mal que nunca se entiende
difícilmente se cura.
—Sí; mas la desigualdad
que hay, señora, entre los dos
me acobarda. —Amor ¿no es dios?—
Sí, señora. —Pues hablad,
que sus absolutas leyes
saben abatir monarcas
y igualar con las abarcas
las coronas de los reyes.
Yo os quiero por medianera,
decidme a mí a quién amáis.
—No me atrevo. —¿Qué dudáis?
¿Soy mala para tercera?—
No; pero temo, ¡ay de mí!—
¿Y si yo su nombre os doy?
¿Diréis si es ella si soy
yo acaso? —Señora, sí.—
¡Acabara yo de hablar!
¿Mas que sé que os causa celos
el conde de Vasconcelos—?
Háceme desesperar;
que es, señora, vuestro igual
y heredero de Berganza.—
La igualdad y semejanza
no está en que sea principal,
o humilde y pobre el amante,
sino en la conformidad
del alma y la voluntad.
Declaraos de aquí adelante,
don Dionís; a esto os exhorto,

que en juegos de amor no es cargo
tan grande un cinco de largo
como es un cinco de corto.
Días ha que os preferí
al conde de Vasconcelos.

MIRENO. ¡Qué escucho, piadosos cielos!
(Da un grito Mireno, y hace que despierte Doña Madalena.)

MADAL. ¡Ay Jesús! ¿Quién está aquí?
¿Quién os trujo a mi presencia,
don Dionís?

MIRENO. Señora mía...

MADAL. ¿Qué hacéis aquí?

MIRENO. Yo venía
a dar a vuestra excelencia
lición; halléla durmiendo,
y mientras que despertaba,
aquí, señora, aguardaba.

MADAL. Dormíme, en fin, y no entiendo
de qué pudo sucederme,
que es gran novedad en mí
quedarme dormida ansí. *(Levántase.)*

MIRENO. Si sueña siempre que duerme
vuestra excelencia del modo
que agora, ¡dichoso yo!

MADAL. *(Aparte.)* ¡Guacias al cielo que habló
este mudo!

MIRENO. *(Aparte.)* Tiemblo todo.

MADAL. ¿Sabéis vos lo que he soñado?

MIRENO. Poco es menester saber
para eso.

MADAL. Debéis de ser
otro Josef.

MIRENO. Su traslado
en la cortedad he sido,
pero no en adivinar.

MADAL. Acabad de declarar
cómo el sueño habéis sabido.

MIRENO. Durmiendo vuestra excelencia,
por palabras le ha explicado.
MADAL. ¡Válame Dios!
MIRENO. Y he sacado
en mi favor la sentencia,
que falta ser confirmada,
para hacer mi dicha cierta,
por vueselencia despierta.
MADAL. Yo no me acuerdo de nada.
Decídmelo; podrá ser
que me acuerde de algo agora.
MIRENO. No me atrevo, gran señora.
MADAL. Muy malo debe de ser,
pues no me lo osáis decir.
MIRENO. No tiene cosa peor
que haber sido en mi favor.
MADAL. Mucho lo deseo oír;
acabad ya, por mi vida.
MIRENO. Es tan grande el juramento,
que anima mi atrevimiento.
Vuestra excelencia dormida...
Tengo vergüenza.
MADAL. Acabad,
que estáis, don Dionís, pesado.
MIRENO. Abiertamente ha mostrado
que me tiene voluntad.
MADAL. ¿Yo? ¿Cómo?
MIRENO. Alumbró mis celos,
y en sueños me ha prometido...
MADAL. ¿Sí?
MIRENO. Que he de ser preferido
al conde de Vasconcelos.
Mire si en esta ocasión
son los favores pequeños.
MADAL. Don Dionís, no creáis en sueños,
que los sueños, sueños son. *(Vase.)*
MIRENO. ¿Agora sales con eso?
Cuando sube mi esperanza,

carga el desdén la balanza
y se deja en fiel el peso.
Con palabras tan resueltas
dejas mi dicha mudada;
¡qué mala era para espada
voluntad con tantas vueltas!
¡Por qué varios arcaduces
guía el cielo aqueste amor!
Con el desdén y favor
me he quedado entre dos luces.
No he de hablar más en mi vida,
pues mi desdicha concierta
que me desprecie despierta
quien me quiere bien dormida.
Calle el alma su pasión
y sirve a mejores dueños,
sin dar crédito a más sueños,
que los sueños, sueños son.

Sale TARSO

TARSO. Pues, señor, ¿cómo te ha ido?
MIRENO ¿Qué sé yo? Ni bien ni mal.
Con un compás quedo igual,
amado y aborrecido.
A mi vergüenza y recato
me vuelvo, que es lo mejor.
TARSO. Di, pues, que le fué a tu amor
como a tres con un zapato.
MIRENO. Después me hablarás despacio.
TARSO. Bato, el pastor y vaquero
de tu padre, está en Avero,
y entrando acaso en palacio
me ha conocido, y desea
hablarte y verte, que está
loco de placer.
MIRENO. Si hará.
¡Oh llaneza de mi aldea!

¡Cuánto mejor es tu trato
que el de palacio, confuso,
donde el engaño anda al uso!
Vamos, Brito, a hablar a Bato,
y a mi padre escribiré
de mi fortuna el estado.
En un lugar apartado
quiero velle.

TARSO. Pues ¿por qué?

MIRENO. Porque tengo, Brito, miedo
que de mi humilde linaje
la noticia aquí me ultraje
antes de ver este enredo
en qué para.

TARSO. Y es razón.

MIRENO. Ven, porque le satisfagas.

TARSO. A ti amor y a mí estás bragas,
nos han puesto en confusión. *(Vanse.)*

(Habitación de Doña Serafina)

Salen DOÑA SERAFINA *y* DON ANTONIO

SERAF. No sé, conde, si dé a mi padre aviso
de vuestro atrevimiento y de su agravio,
que agravio ha sido suyo el atreveros
a entrar en su servicio dese modo
para engañarme a mí, y a él afrentalle.
Otros medios hallárades mejores,
pues noble sois, con que obligar al duque,
sin fingiros así su secretario,
pues no sé yo, si no es tenerme en poco,
qué liviandad hallastes en mi pecho
para atreveros a lo que habéis hecho.

ANTON. Yo vine de camino a ver mi prima,
y quiso amor que os viese.

SERAF. Conde: basta.
Yo estoy muy agraviada justamente
de vuestro atrevimiento. ¿Vos creístes,
que en tan poco mi fama y honra tengo,

que descubriéndoos, como lo habéis hecho,
había de rendirme a vuestro gusto?
Imaginarme a mí mujer tan fácil
ha sido injuria que a mi honor se ha hecho.
Mi padre ha dado al de Estremoz palabra
que he de ser su mujer, y aunque mi padre
no la diera, ni yo le obedeciera,
por castigar aquese desatino
me casara con él. Salid de Avero
al punto, don Antonio, o daré aviso
de aquesto a don Duarte, y si lo entiende
peligraréis, pues corren por su cuenta
mis agravios.

ANTON. ¿Qué ansí me desconoces?

SERAF. Idos, conde, de aquí, que daré voces.

ANTON. Déjame disculpar de los agravios
que me imputas, que el juez más riguroso
antes de sentenciar escucha al reo.

SERAF. Conde: ¡viven los cielos!, que si un hora
estáis más en la villa, que esta noche
me case con el conde por vengarme.
Yo os aborrezco, conde; yo no os quiero.
¿Qué me queréis? Aquí la mayor pena
que me puede afligir es vuestra vista.
Si a vuestro amor mi amor no corresponde:
conde, ¿qué me queréis? Dejadme, conde.

ANTON. Áspid, que entre las rosas
desa belleza escondes tu veneno,
¿mis quejas amorosas
desprecias deste modo? ¡Ay Dios, que peno,
sin remediar mis males,
en tormentos de penas infernales!
Pues que del paraíso
de tu vista destierras mi ventura,
hágate amor Narciso,
y de tu misma imagen y hermosura
de suerte te enamores,
que, como lloro, sin remedio llores.

Yo me voy, pues lo quieres,
huyendo del rigor cruel que encierras,
agravio de mujeres;
pues de tu vista hermosa me destierras,
por quedar satisfecho
desterraré tu imagen de mi pecho.
(Saca el retrato del pecho.)
En el mar de tu olvido
echará tus memorias la venganza
que a amor y al cielo pido,
pues desta suerte alcanzará bonanza
el mar en que me anego,
si es mar donde las ondas son de fuego.
Borrad, alma, el retrato
que en vos pinta el amor, pues que yo arrojo
aquéste por ingrato: *(Arrójale.)*
castigo justo de mi justo enojo,
por quien mi amor desmedra.
Adiós, cruel, retrato de una piedra,
que, pues al tiempo apelo,
médico sabio que locuras cura,
razón es que en el suelo
os deje, pues que sois de piedra dura,
si el suelo piedras cría.
Quédate, fuego, ardiendo en nieve fría.
(Vase.)

SERAF. ¡Hay locuras semejantes!
¿Es posible que sujetos
a tan rabiosos efetos
estén los pobres amantes?
¡Dichosa mil veces yo,
que jamás admití el yugo
de tan tirano verdugo!
¿Qué es lo que en el suelo echó,
y con renombre de ingrato
tantas injurias le dijo?
Quiero verle, que colijo
mil quimeras. ¡Un retrato! *(Álzale.)*

Es de un hombre, y me parece
que me parece de modo
que es mi semejanza en todo.
Cuando el espejo me ofrece
miro aquí; como en cristal
bruñido mi imagen propia
aquí la pintura copia,
y un hombre es su original.
¡Válgame el cielo! ¿Quién es,
pues no es retrato del conde,
que en nada le corresponde?
Pues ¿por qué le echó a mis pies?
Decid, amor, ¿es encanto
éste para que me asombre?
¿Es posible que haya hombre
que se me parezca tanto?
No, porque cuando le hubiera,
¿qué ocasión le ha dado el pobre
para que tal odio cobre
con él el conde? Si fuera
mío, pareciera justo
que en él de mí se vengara,
y que al suelo le arrojara
por sólo darme disgusto.
Algún enredo o maraña
se encierra en aqueste enima;
doña Juana, que es su prima,
ha de sabello. ¡Qué estraña
confusión! Llamalla quiero,
aunque con ella he reñido
viendo que la causa ha sido
que esté su primo en Avero.
Mas ella sale.

Sale Doña Juana

Juana. Ya está,
señora, abierto el jardín;

entre el clavel y el jazmín
vuestra excelencia podrá,
entreteniéndose un rato,
perder la cólera y ira
que tiene conmigo.

SERAF. Mira,
doña Juana, este retrato.

JUANA. *(Aparte.)* Éste es el suyo. ¿A qué fin
mi primo se le dejó?
¡Cielos, si sabe que yo
le metí dentro el jardín!

SERAF. ¿Viste semejanza tanta
en tu vida?

JUANA. No, por cierto
(Aparte.) ¡Si aqueste es el que en el huerto
copió el pintor!

SERAF. ¿No te espanta?

JUANA. Mucho.

SERAF. Tu primo, enojado
porque su amor tuve en poco,
con disparates de loco
le echó en el suelo, y airado
se fué. Quise ver lo que era,
y hame causado inquietud,
pues por la similitud
que tiene, saber quisiera
a qué fin aquesto ha sido.
Pues de su pecho las llaves
tienes, dilo, si lo sabes.

JUANA. *(Aparte.)* Basta, que no ha conocido
que es suyo; la diferencia
del traje de hombre y color,
que mudó en él el pintor,
es la causa. —Vueselencia
me manda diga una cosa
de que estoy tan ignorante
como espantada.

SERAF. Bastante
es ser yo poco dichosa
para que lo ignores. Diera
cualquier precio de interés
por sólo saber quién es.

JUANA. Pues sabedlo...

SERAF. ¿Cómo?

JUANA. Espera;
llamando al conde mi primo,
y fingiendo algún favor
con que entretener su amor...

SERAF. La famosa traza estimo;
mas habráse ya partido.

JUANA. No habrá; yo le iré a llamar.

SERAF. Ve presto.

JUANA. *(Aparte.)* ¡Hay más singular
suceso! Castigo ha sido
del cielo que a su retrato
ame quien a nadie amó. *(Vase.)*

SERAF. No en balde en tierra os echó
quien con vos ha sido ingrato,
que si es vuestro original
tan bello como está aquí
su traslado, cred en mí
que no le quisiera mal.
Y a fe que hubiera alcanzado
lo que muchos no han podido,
pues vivos no me han vencido,
y él me venciera pintado.
Mas, aunque os haga favor,
no os espante mi mudanza,
que siempre la semejanza
ha sido causa de amor.

Salen DON ANTONIO *y* DOÑA JUANA

JUANA. *(Aparte, a Don Antonio.)*
Esto es cierto.

ANTON. ¡Hay tal enredo!

JUANA. Lo que has de responder mira.
ANTON. Prima: con una mentira
tengo de gozar, si puedo,
la ocasión.
SERAF. Conde...
ANTON. Señora...
SERAF. Muy colérico sois.
ANTON. Es
condición de portugués,
y no es mucho, si en media hora
me mandáis dejar Avero,
que hiciese estremos de loco.
SERAF. Callad, que sabéis muy poco
de nuestra condición. Quiero
haceros, conde, saber,
porque os será de importancia,
que son caballos de Francia
las iras de una mujer:
el primer ímpetu, estraño;
pero al segundo se cansa,
que el tiempo todo lo amansa.
ANTON. *(Aparte.)* Prima: todo esto es engaño.
SERAF. No quiero ya que os partáis.
ANTON. De aquesta suerte, el desdén
pasado doy ya por bien.
SERAF. Pues ya sosegado estáis,
¿no me diréis la razón
por qué, cuando os apartastes,
este retrato arrojastes
en el suelo? ¿Qué ocasión
os movió a caso tan nuevo?
¿Cúyo es aqueste retrato?
ANTON. Deciros, señora, trato
la verdad; mas no me atrevo.
SERAF. Pues ¿por qué?
ANTON. Temo un castigo.
terrible.
SERAF. No hay que temer:

yo os aseguro.

ANTON. Perder
la vida por un amigo,
no es mucho. Aquesa presencia
a declararme me anima.—
(Aparte.) Ya va de mentira, prima.

SERAF. Decid.

ANTON. Oiga vueselencia:
Días ha que habrá tenido
entera y larga noticia
de la historia lastimosa
del gran duque de Coimbra,
gobernador deste reino,
en guerra y paz maravilla;
que por ser con vuestro padre
de una cepa y sangre misma,
y tan cercanos en deudo
como esta corona afirma,
habréis llorado los dos
la causa de sus desdichas.

SERAF. Ya sé toda aquesa historia:
mi padre la contó un día
a mi hermana en mi presencia;
su memoria me lastima.
Veinte años dicen que habrá
que le desterró la envidia
de Portugal con su esposa
y un tierno infante. Holgaría
de saber si aun vive el duque,
y en qué reino o parte habita.

ANTON. Sola la duquesa es muerta,
porque su memoria viva;
que el hijo infeliz y el duque,
con quien mi padre tenía
deudo y amistad al tiempo
que de la prisión esquiva
huyó, le ofreció su amparo,
y, arriesgando hacienda y vida,

hasta agora le ha tenido
disfrazado en una quinta,
donde, entre toscos sayales,
los dos la tierra cultivan,
que con sus lágrimas riegan,
dándoles por fruto espinas.
El hijo, a quien hizo el cielo
con tantas partes, que admiran
al mundo, su discreción,
su presencia y gallardía,
se crió conmigo, y es
la mitad del alma mía;
que el ñudo de la amistad
hace de dos una vida.
Quiso el cielo que viniese,
habrá medio año, a esta villa,
disfrazado de pastor,
y que tu presencia y vista
le robase por los ojos
el alma, cuya homicida,
respondiendo el valle en ecos,
pregonan que es Serafina.
Mil veces determinado
de decirte sus desdichas,
le ha detenido el temor
de ver que el rey le publica
por traidor a él y a su padre
y a quien no diere noticia
de ellos, que a todos alcanza
el rigor de la justicia.
Yo, que como propias siento
las lágrimas infinitas
que por ti sin cesar llora,
le di la palabra un día
de declararte su amor,
y de su presencia y vista
gallarda darte el retrato
que tienes. Llegué, y sabida

tu condición desdeñosa,
ni inclinada ni rendida
a las coyundas de amor,
de quien tan pocos se libran,
no me atreví abiertamente
a declararte el enigma
de sus amorosas penas,
hasta que la ocasión misma
me la ofreciese de hablarte,
y así alcancé de mi prima
que el duque me recibiese.
Supe después que quería
con el de Estremoz casarte,
y, por probar si podía
estorballo deste modo,
mostré las llamas fingidas
de mi mentiroso amor;
respondísteme con ira,
y yo, para que mirases
el retrato que te inclina
a menos rigor, echéle
a tus pies, que bien sabía
que su belleza pintada
de tu presunción altiva
presto había de triunfar.
En fin, bella Serafina,
el dueño deste retrato
es don Dionís de Coimbra.

SERAF. Conde: ¿eso es cierto?

ANTON. Y tan cierto
que, a estallo él y saber
que le amabas, sin temer
el hallarse descubierto,
pienso que viniera a darte
el alma.

SERAF. Si eso es verdad,
no sé si en mi voluntad
podrá caber don Duarte.

¡Válgame Dios! ¡Que éste es hijo
de don Pedro!

ANTON. Su belleza
dice que sí.

SERAF. *(Aparte.)* ¿Qué flaqueza
es la vuestra alma? Colijo
que no sois la que solía;
mas justamente merece
quien tanto se me parece
ser amado. ¿No podría
velle?

ANTON. De noche bien puedes,
si das a tus penas fin,
y le hablas por el jardín
que él saltará sus paredes.
Mas de día no osará,
porque hay ya quien le ha mirado
en Avero con cuidado,
y si más nota en él da,
ya ves el peligro.

SERAF. Conde:
un hombre tan principal,
a mi calidad igual,
y que a mi amor corresponde,
es ingratitud no amalle.
En todo has sido discreto:
sélo en guardar más secreto,
y haz cómo yo pueda hablalle;
que el alma a dalle comienza
la libertad que contrasta.
Y adiós.

ANTON. ¿Vaste?

SERAF. Aquesto basta;
que habla poco la vergüenza. *(Vase.)*

JUANA. Primo: ¿es verdad que don Pedro,
el duque, vive y su hijo?

ANTON. Calla, que el alma lo dijo
viendo lo que en mentir medro.

Ni sé del duque, ni dónde
su hijo y mujer llevó.
Don Dionís he de ser yo
de noche, y de día el conde
de Penela; y desta suerte,
si amor su ayuda me da,
mi industria me entregará
lo que espero.

JUANA. Primo: advierte
lo que haces.

ANTON. Engañada
queda; amor mi dicha ordena
con nombre y ayuda ajena,
pues por mí no valgo nada. *(Vanse.)*

(Habitación de Doña Madalena)

Salen el DUQUE *y* DOÑA MADALENA

DUQUE. Quiero veros dar lición,
que la carta que ayer vi
para el conde, en que leí
de el sobreescrito el renglón,
me contentó. Ya escribís
muy claro.

MADAL. *(Aparte.)* Y aun no lo entiende,
con ser tan claro, y se ofende
mi maestro don Dionís.

Sale MIRENO

MIRENO. ¿Llámame vuestra excelencia?

MADAL. Sí; que el duque, mi señor,
quiere ver si algo mejor
escribo. Vos esperiencia
tenéis de cuán escribana
soy. ¿No es verdad?

MIRENO. Sí, señora.

MADAL. Escribí, no ha un cuarto de hora,
medio dormida una plana,
tan clara, que la entendiera
aun quien no sabe leer.
¿No me doy bien a entender,
don Dionís?

MIRENO. Muy bien.

MADAL. Pudiera
serviros, según fué buena,
de materia para hablar
en su loor.

MIRENO. Con callar
la alabo: sólo condena
mi gusto el postrer renglón,
por más que la pluma escuso,
porque estaba muy confuso.

MADAL. Diréislo por el borrón
que eché a la postre.

MIRENO. ¿Pues no?

MADAL. Pues adrede le eché allí.

MIRENO. Sólo el borrón corregí,
porque lo demás borró.

MADAL. Bien le pudiste quitar;
que un borrón no es mucha mengua.

MIRENO. ¿Cómo?

MADAL. *(Ap.)* El borrón con la lengua
se quita, y no con callar.—
Ahora bien: cortá una pluma.
(Sacan recado y corta una pluma.)

MIRENO. Ya, gran señora, la corto.

MADAL. *(Enojada)*. Acabad,
que sois muy corto.
Vuestra excelencia presuma,
que de vergüenza no sabe
hacer cosa de provecho.

DUQUE. Con todo, estoy satisfecho
de su letra.

MADAL. Es cosa grave

el dalle avisos por puntos,
sin que aproveche. Acabad.

DUQUE. Madalena, reportad.

MIRENO. ¿Han de ser cortos los puntos?

MADAL. ¡Qué amigo que sois de corto!
Largos los pido; cortaldos
de aqueste modo, o dejaldos.

MIRENO. Ya, gran señora, los corto.

DUQUE. ¡Qué mal acondicionada
sois!

MADAL. Un hombre vergonzoso
y corto es siempre enfadoso.

MIRENO. Ya está la pluma cortada.

MADAL. Mostrad. ¡Y qué mala! ¡Ay Dios!
(Pruébala y arrójala.)

DUQUE. ¿Por qué la echáis en el suelo?

MADAL. ¡Siempre me la dais con pelo!
Líbreme el cielo de vos.
Quitadle con el cuchillo.
No sé de vos que presuma,
siempre con pelo la pluma,
(Aparte.) y la lengua con frenillo.

MIRENO. *(Aparte.)* Propicios me son los cielos,
todo esto es en mi favor.

Sale DON DUARTE

CONDE. Dadme albricias, gran señor:
el conde de Vasconcelos
está sola una jornada
de vuestra villa.

MADAL. *(Aparte.)* ¡Ay de mí!

CONDE. Mañana llegará aquí;
porque trae tan limitada,
dicen, del rey la licencia,
que no hará más de casarse
mañana, y luego tornarse.
Apreste vuestra excelencia

lo necesario, que yo
voy a recibirle luego.

DUQUE. ¿No me escribe?

CONDE. Aqueste pliego.

DUQUE. Hija: la ocasión llegó
que deseo.

MADAL. *(Aparte.)* Saldrá vana.

MIRENO. *(Aparte.)* ¡Ay, cielo!

MADAL. *(Aparte.)* Mi bien suspira.

DUQUE. Vamos: deja aqueso y mira
que te has de casar mañana.

(Vanse el DUQUE *y el* CONDE *y pónese a escribir ella.)*

MADAL. Don Dionís: en acabando
de escribir aquí, leed
este billete, y haced
luego lo que en él os mando.

MIRENO. Si ya la ocasión perdí,
¿qué he de hacer? ¡Ay suerte dura!

MADAL. Amor todo es coyuntura. *(Vase.)*

MIRENO. Fuése. El papel dice ansí:
(Lee.) «No da el tiempo más espacio;
esta noche, en el jardín,
tendrán los temores fin
del *Vergonzoso en palacio.*»
¡Cielos! ¿Qué escucho? ¿Qué veo?
¿Esta noche? ¡Hay más ventura!
¿Si lo sueño? ¿Si es locura?
No es posible; no lo creo. *(Vuelve a leer.)*
«Esta noche en el jardín...»
¡Vive Dios, que está aquí escrito!
¡Mi bien! A buscar a Brito
voy. ¿Hay más dichoso fin?
Presto en tu florido espacio
dará envidia entre mis celos.
al conde de Vasconcelos,
El vergonzoso en palacio.

Salen LAURO, RUY LORENZO *y* BATO *y* MELISA

LAURO. Buenas nuevas te dé Dios:
escoge en albricias, Bato,
la oveja mejor del hato;
poco es una, escoge dos.
¿Que mi hijo está en Avero?
¿Que del duque es secretario,
mi primo? ¡Ay tiempo voltario!
Mas ¿qué me quejo? ¿Qué espero?
Vamos a verle los dos:
mis ojos su vista gocen.
Venid.

RUY. ¿Y si me conocen?

LAURO. No lo permitirá Dios:
tiznaos como carbonero
la cara, que desta vez
daré a mi triste vejez
un buen día hoy en Avero.
Mi gozo crece por puntos:
agora a vivir comienzo.
Alto: vamos, Ruy Lorenzo.

BATO. Todos podremos ir juntos.

LAURO. Guardad vosotros la casa. *(Vanse los dos.)*

MELISA. Sí; Bercebú que la guarde.

BATO. ¿Qué tenéis aquesta tarde?

MELISA. ¡Ay Bato! ¡Que aqueso pasa!
¿Que no preguntó por mí
Tarso?

BATO. No se le da un pito
por vos, ni es Tarso.

MELISA. ¿Pues?

BATO. Brito,
o cabrito.

MELISA. ¡Ay! ¿Tarso ansí?
A verte he de ir esta tarde,
cruel, tirano, enemigo.

BATO. ¿Sola?

MELISA. Vasco irá conmigo.
BATO. Buen mastín lleváis que os guarde.
¿Queréisle mucho?
MELISA. Enfinito.
BATO. Pues en Brito se ha mudado,
la mitad para casado
tien...
MELISA. ¿Qué?
BATO. De cabrito el Brito. *(Vanse.)*

(Palacio del Duque, con jardín. Es de noche.)

A la ventana DOÑA JUANA *y* DOÑA SERAFINA

SERAF. ¡Ay querida doña Juana!,
nota de mi fama doy;
mas si lo dilato hoy
me casa el duque mañana.
JUANA. Don Dionís, señora, es tal
que no llega don Duarte
con la más mínima parte
a su valor. Portugal
por su padre llora hoy día;
para en uno sois los dos:
gozaos mil años.
SERAF. ¡Ay Dios!
JUANA. No temas, señora mía,
que mi primo fué por él;
presto le traerá consigo.
SERAF. Él tiene un notable amigo.
JUANA. Pocos se hallarán como él.

Sale DON ANTONIO, *como de noche*

ANTON. Hoy, amor, vuestras quimeras
de noche me han convertido
en un don Dionís fingido
y un don Antonio de veras.

Por uno y otro he de hablar.
Gente siento a la ventana.

JUANA. Ruido suena; no fué vana
mi esperanza.

Sale TARSO, *de noche*

TARSO. Este lugar
mi dichoso don Dionís
me manda que mire y ronde
por si hay gente.

JUANA. Ce: ¿es el conde?

ANTON. Sí, mi señora. ¿Venís
con don Dionís?

TARSO. *(Aparte.)* ¿Cómo es esto?
¿Don Dionís? La burla es buena.
¿Mas si es doña Madalena?
Reconocer este puesto
me manda, porque le avise
si anda gente (y me parece
que otro en su lugar se ofrece),
y que le ronde, ande y pise.
¡Vaya! ¿Mas que es don Dionís?
Eso no.

ANTON. Conmigo viene
un don Dionís, que os previene
el alma, que ya adquirís,
para ofrecerse a esas plantas.
Hablad, don Dionís: ¿qué hacéis?
(Finge que habla Don Dionís, mudando la voz.)
¿Que estoy suspenso, no veis,
contemplando glorias tantas?
Pagar lo mucho que os debo
con palabras será mengua,
y ansí refreno la lengua,
porque en ella no me atrevo.
Mas, señora, amor es dios,
y por mí podrá pagar.

JUANA. *(Aparte.)* ¡Bien sabe disimular
el habla!

SERAF. ¿No tenéis vos
crédito para pagarme
esta deuda?

ANTON. No lo sé;
mas buen fiador os daré:
el conde puede fiarme.—
Yo os fío.

TARSO. *(Ap.)* ¡Válgate el diablo!
Sólo un hombre es, vive Dios,
y parece que son dos.

ANTON. *(Disimula la voz.)*
Con mucho peligro os hablo
aquí; haced mi dicha cierta,
y tengan mis penas fin.

SERAF. Pues ¿qué queréis?

ANTON. Del jardín
tengo ya franca la puerta.

JUANA. Mira que suele rondarte
don Duarte, señora mía,
y que si aguardas al día
has de ser de don Duarte.
Cualquier dilación es mala.

SERAF. ¡Ay Dios!

JUANA. ¡Qué tímida eres!
¿Entrará?

SERAF. Haz lo que quisieres.

ANTON. *(Como Don Antonio.)*
Don Dionís, amor te iguala
a la ventura mayor
que pudo dar; corresponde
a tu dicha. —Amigo conde:
(Como Don Dionís.)
por vuestra industria y favor
he adquirido tanto bien;
dadme esos brazos; yo soy

tu amigo, conde, desde hoy.—
Yo vuestro esclavo. — Está bien;
dará el tiempo testimonio
desta deuda. — Aquí te aguardo,
que así mis amigos guardo;
entrad.—Adiós, don Antonio. *(Éntrase.)*

SERAF. ¿Entró?

JUANA. Sí.

SERAF. ¡Que deste modo
fuerce amor a una mujer!
Mas por sólo no lo ser
del de Estremoz, poco es todo;
mi padre y honor perdone.

JUANA. Vamos y deja ese miedo.

(Vanse los dos.)

TARSO. ¿Hase visto igual enredo?
En gran confusión me pone
este encanto. Un don Antonio,
que consigo mismo hablaba,
dijo que aquí se quedaba,
y se entró; él es demonio.

Sale MIRENO, *de noche*

MIRENO. Él se debió de quedar,
como acostumbra, dormido.

TARSO. Ya queda sostituído
por otro aquí tu lugar.

MIRENO. ¿Qué dices, necio? Responde:
vienes aquí a ver si hay gente,
¡y estaste aquí, impertinente!

TARSO. Gente ha hablado.

MIRENO. ¿Quién?

TARSO. Un conde,
y un don Dionís de tu nombre,
que es uno y parecen dos.

MIRENO. ¿Estás sin seso?

TARSO. Por Dios,
que acaba de entrar un hombre
con tu dueña Madalena
que, o es colegial trilingue,
o a sí propio se distingue,
o es tu alma que anda en pena.
Más sabe que veinte Ulises.
Algún traidor te ha burlado,
o yo este enredo he soñado,
o aquí hay dos don Dionises.
MIRENO. Soñástelo.
TARSO. ¡Norabuena!

Sale a la ventana DOÑA MADALENA

MADAL. ¿Si habrá don Dionís venido?
TARSO. A la ventana ha salido
un bulto.
MADAL. ¡Ay Dios! Gente suena.
¿Ce: es don Dionís?
MIRENO. Mi señora,
yo soy ese venturoso.
MADAL. Entrad, pues, mi vergonzoso. *(Vase.)*
MIRENO. ¿Crees que lo soñaste agora?
TARSO. No sé.
MIRENO. Si mi cortedad
fué vergüenza, adiós vergüenza;
que seréis, como no os venza,
desde agora necedad. *(Vase.)*
TARSO. Confuso me voy de aquí,
que debo estar encantado.
Dos Dionises han entrado,
o yo estoy fuera de mí.
Destas calzas por momentos
salen quimeras como ésta;
¡pobre de quien trae a cuestas
dos cestas de encantamentos! *(Vase.)*

(Atrio del patio)

Salen LAURO *y* RUY LORENZO, *de pastores*

LAURO. Éste es, Ruy Lorenzo, Avero.
RUY. Aquí me vi un tiempo, Lauro,
rico y próspero, y ya pobre
y ganadero.
LAURO. Altibajos
son del tiempo y la fortuna,
inconstante siempre y vario.
¡Buen palacio tiene el duque!
RUY. Ahora acaba de labrallo:
propiedad de la vejez
hacellos y no gozallos.
LAURO. Busquemos a mi Mireno.
RUY. En palacio aun es temprano;
que aquí amanece muy tarde,
y hemos mucho madrugado.
LAURO. ¿Cuándo durmió el deseoso?
¿Cuándo amor buscó descanso?
No os espante que madrugue,
soy padre, deseo y amo.

Salen VASCO *y* MELISA, *de pastores*

VASCO. Mucho has podido conmigo,
Melisa.
MELISA. Débote, Vasco,
gran voluntad.
VASCO. ¿A qué efeto
me traes, Melisa, a palacio
desde los montes incultos?
MELISA. En ellos sabrás de espacio
mis intentos.
VASCO. Miedo tengo.
MELISA. *(Ap.)* ¡Ay Tarso, cruel, ingrato!
Mi imán eres, tras ti voy,

que soy hierro.

VASCO. Aun sería el diablo,
que ahora me conociese
algún mozo de caballos,
colgándome de la horca,
en fe de ser peso falso.

MELISA. ¡Ay Vasco, retírate!

VASCO. ¿Pues qué?...

MELISA. ¿No ves a nuesamo,
y al tuyo? Si aquí nos topa,
pendencia hay para dos años.

(Tocan cajas.)

VASCO. Volvámonos. Mas ¿qué es esto?

RUY. ¿Tan de mañana han tocado
cajas? ¿A qué fin será?

LAURO. No lo sé.

RUY. Si no me engaño,
sale el duque; algo hay de nuevo.

LAURO. A esta parte retirados
podremos saber lo que es,
que parece que echan bando.

Salen el DUQUE, *el* CONDE, *con gente*
y un ATAMBOR

DUQUE. Conde: con ningunas nuevas
pudiera alegrarnos tanto
como con éstas: ya cesan
las desdichas y trabajos
de don Pedro de Coimbra,
mi primo, si el cielo santo
le tiene vivo.

CONDE. Sí hará;
que al cabo de tantos años
de males querrá que goce
el premio de su descanso.

LAURO. ¡Qué es esto que escucho, cielos!
¿Soy yo de quien habla acaso

mi primo el duque de Avero?
Mas, no, que soy desdichado.

DUQUE. Antes que vais, don Duarte,
por el yerno, que hoy aguardo,
quiero que oigáis el pregón
que el rey manda. — Echad el bando.

ATAMBOR. «El rey nuestro señor Alfonso el Quinto
manda: que en todos sus estados reales,
son solenes y públicos pregones,
se publique el castigo que en Lisboa
se hizo del traidor Vasco Fernández,
por las traiciones que a su tío el duque
don Pedro de Coimbra ha levantado,
a quien da por leal vasallo y noble,
y en todos sus estados restituye;
mandando, que en cualquier parte que asista
si es vivo, le respeten como a él mismo;
y si es muerto, su imagen echa al vivo
pongan sobre un caballo, y una palma
en la mano, le lleven a su corte,
saliendo a recebirle los lugares:
y declara a los hijos que tuviere
por herederos de su patrimonio,
dando a Vasco Fernández y a sus hijos
por traidores, sembrándoles sus casas
de sal, como es costumbre en estos reinos
desde el antiguo tiempo de los godos.
Mándase pregonar porque ello venga
a noticia de todos». *(Vase.)*

VASCO. ¡Larga arenga!

MELISA. ¡Buen garguero
tiene el que ha repiqueteado!

LAURO. Gracias a vuestra piedad,
recto juez, clemente y sabio,
que volvéis por mi justicia.

RUY. El parabién quiere daros
con las lágrimas que vierto.
Goceisle, duque, mil años.

DUQUE. ¿Qué labradores son éstos
que hacen estremos tantos?

CONDE. ¡Ah buena gente! Mirad
que os llama el duque.

LAURO. Trabajos:
si me habéis tenido mudo.
ya es tiempo de hablar. ¿Qué aguardo?
Dadme aquesos brazos nobles,
duque ilustre, primo caro:
don Pedro soy.

DUQUE. ¡Santos cielos,
dos mil gracias quiero daros!

CONDE. ¡Gran duque! ¿En aqueste traje?

LAURO. En éste me he conservado
con vida y honra hasta agora.

MELISA. ¡Aho! ¿diz que es duque nueso amo?

VASCO. Sí.

MELISA. Démosle el parabién.

VASCO. ¿No le ves que está ocupado?
Tiempo habrá; déjalo agora,
no nos riña.

MELISA. Pues dejallo.

DUQUE. Es el conde de Estremoz,
a quien la palabra he dado
de casalle con mi hija
la menor, y agora aguardo
al conde de Vasconcelos,
sobrino vuestro.

LAURO. Mi hermano
estará ya arrepentido,
si traidores le engañaron.

DUQUE. Doile a doña Madalena,
mi hija mayor.

LAURO. Sois sabio
en escoger tales yernos.

DUQUE. Y venturoso otro tanto
en que seréis su padrino.

RUY. *(Ap.)* Aunque el conde me ha mirado,

no me ha conocido. ¡Ay cielos!
¿Quién vengará mis agravios?

DUQUE. Hola, llamad a mis hijas,
que de suceso tan raro,
por la parte que les toca,
es bien darlas cuenta.

MELISA. Vasco:
verdad es, ven y lleguemos.
Por muchos y buenos años
goce el duquencio.

LAURO. ¿Melisa
aquí?

MELISA. Vine a ver a Tarso.

VASCO. No oso hablar, no me conozcan,
que está mi vida en mis labios.

Salen MADALENA, SERAFINA *y* DOÑA JUANA

MADAL. ¿Qué manda vuestra excelencia?

DUQUE. Que beséis, hija, las manos
al gran duque de Coimbra,
vuestro tío.

MADAL. ¡Caso raro!

LAURO. Lloro de contento y gozo.

SERAF. *(Aparte.)* Mi suerte y ventura alabo:
ya segura gozaré
mi don Dionís, pues ha dado
fin el cielo a sus desdichas.

LAURO. Gocéis, sobrinas, mil años
los esposos que os esperan.

SERAF. El cielo guarde otros tantos
la vida de vueselencia.

MADAL. Si la mía estima en algo,
le suplico, así propicios
de aquí adelante los hados
le dejen ver reyes nietos
y venguen de sus contrarios
que este casamiento impida.

DUQUE. ¿Cómo es eso?
MADAL. Aunque el recato
de la mujeril vergüenza
cerrarme intente los labios
digo, señor, que ya estoy
casada.
DUQUE. ¡Cómo! ¿Qué aguardo?
¿Estáis sin seso, atrevida?
MADAL. El cielo y amor me han dado
esposo, aunque humilde y pobre,
discreto, mozo y gallardo.
DUQUE ¿Qué dices, loca? ¿Pretendes
que te mate?
MADAL. El secretario
que me diste por maestro
es mi esposo.
DUQUE. Cierra el labio.
¡Ay desdichada vejez!
Vil: ¿por un hombre tan bajo
al conde de Vasconcelos
desprecias?
MADAL. Ya le ha igualado
a mi calidad amor,
que sabe humillar los altos
y ensalzar a los humildes.
DUQUE. Daréte la muerte.
LAURO. Paso,
que es mi hijo vuestro yerno.
DUQUE. ¿Cómo es eso?
LAURO. El secretario
de mi sobrina, vuestra hija,
es Mireno, a quien ya llamo
don Dionís y mi heredero.
DUQUE. Ya vuelvo en mí: por bien dado
doy mi agravio dese modo.
MADAL. ¿Hijo es vuestro? ¡Ay Dios! ¿Qué aguardo
que no beso vuestros pies?
SERAF. Eso no, porque es engaño:

don Dionís, hijo del duque
de Coimbra, es quien me ha dado
mano y palabra de esposo.

DUQUE. ¿Hay hombre más desdichado?

SERAF. Doña Juana es buen testigo.

MADAL. Don Dionís está en mi cuarto
y mi recámara.

SERAF. ¡Bueno!
En la mía está encerrado.

LAURO. Yo no tengo más de un hijo.

DUQUE. Tráigalos luego. ¡En qué caos
de confusión estoy puesto!

MELISA. ¿En qué parará esto, Vasco?

VASCO. No sé lo que te responda;
pues ni sé si estoy soñando
ni si es verdad lo que veo.

MELISA. ¡Ay Dios! ¡Si saliese Tarso!

Sale MIRENO

MIRENO. Confuso vengo a tus pies.

LAURO. Hijo mío: aquesos brazos
den nueva vida a estas canas.
Éste es don Dionís.

SERAF. ¿Qué engaños
son estos, cielos crueles?

DUQUE. Abrazadme, ya que ha hallado
el más gallardo heredero
de Portugal este estado.

LAURO. ¿Qué miras, hijo, perplejo?
El nombre tosco ha cesado
que de Mireno tuviste;
ni lo eres, ni soy Lauro,
sino el duque de Coimbra:
el rey está ya informado
de mi inocencia.

MIRENO. ¿Qué escucho?
¡Cielos!, ¡amor!, ¡bienes tantos!

Sale DON ANTONIO

ANTON. Dame, señor, esos pies.
DUQUE. ¿A qué venís, secretario?
SERAF. Conde: ¿qué es de don Dionís,
mi esposo?
ANTON. Yo os he engañado:
en su nombre gocé anoche
la belleza y bien más alto
que tiene el amor.
DUQUE. ¡Oh infame!
SERAF. ¡Matadle!
CONDE. ¡Matadle!
JUANA. Paso,
que es el conde de Penela,
mi primo.
ANTON. Perdón aguardo,
duque y señor, a tus pies.
CONDE. Los cielos lo han ordenado,
porque vuelven por Leonela,
a quien di palabra y mano
de esposo y la desprecié
gozada.
LAURO Aquí está su hermano,
que por vengar esa injuria,
aunque no con medio sabio,
vive pastor abatido.
Si a interceder por él basto,
reducidle a vuestra gracia.
RUY Perdón pido.
VASCO. Y también Vasco.
DUQUE. Basta, que lo manda el duque.
CONDE. Recibidme por cuñado,
que a Leonela he de cumplir
la palabra que le he dado
luego que a mi estado vuelva.
¿Dónde está?
RUY. Tu pecho hidalgo

hace, al fin, como quien es.

SERAF. Y qué, ¿fué el mío el retrato?

DUQUE. Dadle, conde don Antonio,
a Serafina la mano,
que, pues el de Vasconcelos
perdió la ocasión por tardo,
disculpado estoy con él.
(A Mireno.) ¡Muy bien habéis enseñado
a escribir a Madalena!
¿Érades vos el callado,
el cortés, el vergonzoso?
Pero ¿quién lo fué en palacio?

Sale TARSO

TARSO. ¿Duque Mireno? ¿Qué escucho?
Don Dionís: esos zapatos
te beso, y pido en albricias
de la esposa y del ducado
que me quites estas calzas,
y el día de Jueves Santo
mandes ponellas a un Judas.

MELISA. ¡Ah traidor, mudable, ingrato!
Agora me pagarás
el amor, penas y llanto
que me debes. Señor duque:
de rodillas se lo mando
que mos case.

TARSO. Estotro ¿es cura?

MELISA. Mande que me quiera Tarso.

MIRENO. Yo se lo mando, y le doy
por ello tres mil cruzados.

TARSO. ¿Por la cara o por la bolsa?

MIRENO. Y mi camarero le hago,
para que asista conmigo.

DUQUE. Doña Juana está a mi cargo;
yo la daré un noble esposo.
A recebir todos vamos

al conde de Vasconcelos,
porque, viendo el desengaño
de su amor, sepa la historia
del *Vergonzoso en palacio*
y, a pesar de maldicientes,
las faltas perdone el sabio.

FIN DE LA COMEDIA

EPÍLOGO

—Con la apacible suspensión de la referida comedia, la propiedad de los recitantes, las galas de las personas y la diversidad de sucesos, se les hizo el tiempo tan corto, que con haberse gastado cerca de tres horas, no hallaron otra falta sino la brevedad de su discurso; esto, en los oyentes desapasionados, y que asistían allí más para recrear el alma con el poético entretenimiento que para censurarle; que los zánganos de la miel que ellos no saben labrar y hurtan a las artificiosas abejas, no pudieron dejar de hacer de las suyas, y con murmuradores susurros, picar en los deleitosos panales del ingenio. Quién dijo que era demasiadamente larga, y quién impropia. Pedante hubo historial (1) que afirmó merecer castigo el poeta que contra la verdad de los anales portugueses, había hecho pastor al duque de Coimbra don Pedro (siendo así que murió en una batalla que el rey don Alonso, su sobrino, le dió, sin que le quedase hijo sucesor), en ofensa de la casa de Avero y su gran duque, cuyas hijas pintó tan desenvueltas, que, contra las leyes de su honestidad, hicieron teatro de su poco recato la inmunidad de su jardín. ¡Como si la licencia de Apolo se estrechase a la recolección histórica, y no pudiese fabricar, sobre cimientos de personas verdaderas, arquitecturas del ingenio fingidas! No faltaron protectores del ausente poeta, que volviendo por su honra, concluyesen los argumentos de Zoilos, si pueden entendimientos contumaces— Narcisos de sus mismos pareceres, y discretos, más por las censuras que dan

(1) Historiador.

en los trabajos ajenos que por lo que se desvelan en los propios —convencerse.

«—Entre los muchos desaciertos (dijo un presumido, natural de Toledo, que le negara la filiación de buena gana si no fuera porque entre tantos hijos sabios y bien intencionados que ilustran su benigno clima no era mucho saliese un aborto malicioso), el que más me acaba la paciencia es ver cuán licenciosamente salió el poeta de los límites y leyes con que los primeros inventores de la comedia dieron ingenioso principio a este poema; pues siendo así que éste ha de ser una acción cuyo principio, medio y fin acaezca a lo más largo en veinticuatro horas sin movernos de un lugar, nos ha encajado mes y medio, por lo menos, de sucesos amorosos. Pues aun en este término, parece imposible pudiese disponerse una dama ilustre y discreta a querer tan ciegamente a un pastor, hacerle su secretario, declararle por enigmas su voluntad, y, últimamente, arriesgar su fama a la arrojada determinación de un hombre tan humilde, que, en la opinión de entrambos, el mayor blasón de su linaje eran unas abarcas; su solar, una cabaña; y sus vasallos, un pobre hato de cabras y bueyes. Dejo de impugnar la ignorancia de doña Serafina (pintada, en lo demás, tan avisada), que enamorándose de su mismo retrato, sin más certidumbre de su original que lo que don Antonio la dijo, se dispusiese a una bajeza indigna aun de la más plebeya hermosura, como fué admitir a obscuras a quien pudiera, con la luz de una vela, dejar castigado y corrido. Fuera de que no sé yo por qué ha de tener nombre de comedia la que introduce sus personajes entre duques y condes, siendo ansí que las que más graves se permiten en semejantes acciones no pasan de ciudadanos, patricios y damas de mediana condición.»

Iba a proseguir el malicioso arguyente, cuando, atajándole don Alejo —que por ser la fiesta a su contemplación, le pareció tocarle el defenderla—, le respondió:

«—Poca razón habéis tenido; pues fuera de la obligación, en que pone la cortesía a no decir mal el convidado de los platos que le ponen delante (por mal sazonados que estén) en menosprecio del que convida, la comedia presente ha guardado las leyes de lo que ahora se usa. Y a mi parecer —conformándome con el de los que sin pasión sienten—, el lugar que merecen las que ahora se representan en nuestra España, comparadas con las antiguas, les hace conocidas ventajas aunque vayan contra el instinto primero de sus inventores. Porque si aquéllos establecieron que una comedia no representase sino la acción que moralmente puede suceder en veinticuatro horas, ¿cuánto mayor inconveniente será que en tan breve tiempo un galán discreto se enamore de una dama cuerda, la solicite, regale y festeje, y que sin pasar siquiera un día la obligue y disponga de suerte sus amores, que, comenzando a pretenderla por la mañana, se case con ella a la noche? ¿Qué lugar tiene para fundar celos, encarecer desesperaciones, consolarse con esperanzas y pintar los demás afectos y accidentes sin los cuales el amor no es de ninguna estima? Ni ¿cómo se podrá preciar un amante de firme y leal si no pasan algunos días, meses y aun años en que se haga prueba de su constancia?

»Estos inconvenientes, mayores son en el juicio de cualquier mediano entendimiento que el que se sigue de que los oyentes, sin levantarse de un lugar, vean y oigan cosas sucedidas en muchos días. Pues ansí como el que lee una historia en breves planas, sin pasar muchas horas, se informa de casos sucedidos en largos tiempos y distintos lugares, la comedia, que es una imagen y representación de su argumento, es fuerza que cuando le toma de los sucesos de dos amantes, retrate al vivo lo que les pudo acaecer; y no siendo esto verosímil en un día, tiene obligación de fingir pasan los necesarios para que tal acción sea perfecta; que no en vano se llamó la Poesía *pintura viva;* pues imitando a la muerta, ésta, en el breve espacio de vara y media de lienzo, pinta lejos y distancias que persuaden a la vista a lo que significan, y no es justo que se niegue la licencia, que conceden al pincel, a la pluma, siendo ésta tanto más significativa que esotro, cuando se deja mejor entender el que habla, articulando sílabas en nuestro idioma, que el que, siendo mudo, explica por señas sus conceptos. Y si me argüís que a los primeros inventores debemos, los que profesamos sus facultades, guardar sus conceptos —pena de ser tenidos por ambiciosos y poco agradecidos a la luz que nos dieron para proseguir sus habilidades—, os respondo: que aunque a los tales se les debe la veneración de haber salido con la dificultad que tienen todas las cosas en sus principios, con todo esto, es cierto que, añadiendo perfecciones a su invención (cosa, puesto que fácil, necesaria), es fuerza que quedándose la substancia en pie, se muden los accidentes, mejorándolos con la experiencia. ¡Bueno sería que porque el primer músico sacó de la consonancia de los martillos en la yunque la diferencia de los agudos y graves y la armonía música, hubiesen los que agora la profesan de andar cargados de los instrumentos de Vulcano, y mereciesen castigo en vez de alabanza los que a la arpa fueron añadiendo cuerdas, y, vituperando lo superfluo y inútil de la antigüedad, la dejaron en la perfección que agora vemos! Esta diferencia hay de la naturaleza al arte; que lo que aquélla desde su creación constituyó no se puede variar; y así siempre el peral producirá peras y la encina su grosero fruto. Y con todo eso, la diversidad del terruño y la diferente influencia del cielo y clima a que están sujetos, los saca muchas veces de su misma especie y casi constituye en otras diversas. Pues si hemos de dar crédito a Antonio de Lebrija en el prólogo de su *Vocabulario*, no crió Dios, al principio del mundo, sino una sola especie de melones, de quien han salido tantas y entre sí tan diversas como se ve en las calabazas, pepinos y cohombros, que todos tuvieron en sus principios una misma producción. Fuera de que, ya que no en todo, pueda variar estas cosas el hortelano, a lo menos en parte, mediando la industria del injerir (1). De dos diversas especies compone una tercera, como se ve en el durazno, que injerto en el membrillo

(1) Injertar.

produce el melocotón, en quien hacen parentesco lo dorado y agrio de lo uno con lo dulce y encarnado de lo otro. Pero en las cosas artificiales, quedándose en pie lo principal, que es la substancia, cada día varía el uso, el modo y lo accesorio. El primer sastre que cortó de vestir a nuestros primeros padres fué Dios —si a tan ínclito artífice es bien se le acomode tan humilde atributo; mas no le será indecente, pues Dios es todo en todas las cosas—. ¿Fuera, pues, razón que por esto anduviésemos agora como ellos cubiertos de pieles y que condenásemos los trajes —dejo los profanos y lascivos, que esos de suyo lo están, y hablo de los honestos y religiosos—, porque ansí en la materia como en las formas diversas se distinguen de aquéllos? Claro está que diréis que no. Pues si «en lo artificial», cuyo ser consiste sólo en la mudable imposición de los hombres, puede el uso mudar en los trajes y oficios hasta la substancia, y «en lo natural», se producen, por medio de los injertos, cada día diferentes frutos, ¿qué mucho que la comedia, a imitación de entrambas cosas, varíe las leyes de sus antepasados, e injiera industriosamente lo trágico con lo cómico, sacando una mezcla apacible destos dos encontrados poemas, y que, participando de entrambos, introduzca ya personas graves como la una y ya jocosas y ridículas como la otra? Además, que si el ser tan excelentes en Grecia Esquilo y Enio (1), como entre los latinos Séneca y Terencio, bastó para establecer las leyes tan defendidas de sus profesores, la excelencia de nuestra española *Vega*, honra de Manzanares, Tulio de Castilla y Fénix de nuestra nación, los hace ser tan conocidas ventajas en entrambas materias, ansí en la cantidad como en la cualidad de sus nunca bien conocidos, aunque bien envidiados y mal mordidos, estudios, que la autoridad con que se les adelanta es suficiente para derogar sus estatutos.

»Y habiendo él puesto la comedia en la perfección y

---

(1) Seguramente error de copia. Ennio era latino.

sutileza que agora tiene, basta *para hacer escuela de por sí* y para que los que nos preciamos de sus discípulos nos tengamos por dichosos de tal maestro, y defendamos constantemente su doctrina contra quien con pasión la impugnare. Que si él, en muchas partes de sus escritos, dice que el no guardar el arte antiguo lo hace por conformarse con el gusto de la plebe —que nunca consintió el freno de las leyes y preceptos—, dícelo por su natural modestia y porque no atribuya la malicia ignorante a arrogancia lo que es política perfección. Pero nosotros, lo uno por ser sus profesores y lo otro por las razones que tengo alegadas (fuera de otras muchas que se quedan en la plaza de armas del entendimiento), es justo que a él, como reformador de la comedia nueva, y a ella, como más hermosa y entretenida, los estimemos, lisonjeando al tiempo para que no borre su memoria.»

«—¡Basta!, dijo don Juan; que habiendo hallado en vos nuestra española comedia caballero que defienda su opinión, habéis salido al campo armado de vuestro sutil ingenio, él queda por vuestro, y ninguno osa salir contra vos, si no es el sueño, que afilando sus armas en las horas del silencio —pues, si no miente el reloj del Hospital de Afuera, son las tres—, a todos nos obliga a rendirle las de nuestros sentidos. Démosle treguas ahora para que, descansando, prevengan mañana nuevos entretenimientos.»

Hiciéronlo así, quedando avisada Narcisa para la fiesta que en el Cigarral de su suerte, de allí a ocho días le tocaba. Y despedidos los huéspedes que gustaron de volverse a la ciudad, los demás en las capaces cuadras (1) se retiraron, si diversos en pensamientos y cuidados, convenidos a lo menos en recoger, puertas adentro del alma, sus pasiones.

---

(1) Habitaciones.

EL BURLADOR DE SEVILLA
Y CONVIDADO DE PIEDRA

PERSONAJES

DON DIEGO TENORIO, *viejo.*
DON JUAN TENORIO, *su hijo.*
CATALINÓN, *lacayo.*
EL REY DE NÁPOLES.
EL DUQUE OCTAVIO.
DON PEDRO TENORIO.
EL MARQUÉS DE LA MOTA.
DON GONZALO DE ULLOA.
EL REY DE CASTILLA.
DOÑA ANA DE ULLOA.
FABIO, *criado.*
ISABELA, *duquesa.*
TISBEA, *pescadora.*
BELISA, *villana.*
ANFRISO, *pescador.*
CORIDÓN, *pescador.*
GASENO, *labrador.*
BATRICIO, *labrador.*
RIPIO, *criado.*
AMINTA, *villana.*

REPRESENTÓLA ROQUE DE FIGUEROA

JORNADA PRIMERA

Salen DON JUAN TENORIO *y* ISABELA, *duquesa*

ISABELA Duque Octavio, por aquí
podrás salir más seguro.
D. JUAN. Duquesa, de nuevo os juro
de cumplir el dulce sí.
ISABELA. ¿Mis glorias serán verdades,
promesas y ofrecimientos,
regalos y cumplimientos,
voluntades y amistades?
D. JUAN. Sí, mi bien.
ISABELA. Quiero sacar
una luz.
D. JUAN. Pues ¿para qué?
ISABELA. Para que el alma dé fe
del bien que llego a gozar.
D. JUAN. Mataréte la luz yo.
ISABELA. ¡Ah cielo! ¿Quién eres, hombre?
D. JUAN. ¿Quién soy? Un hombre sin nombre.
ISABELA. ¿Que no eres el duque?
D. JUAN. No.
ISABELA. ¡Ah de palacio!
D. JUAN. Detente:
dame, duquesa, la mano.
ISABELA. No me detengas, villano.
¡Ah del rey! ¡Soldados, gente!

Sale el REY DE NÁPOLES *con una vela en un candelero*

REY. ¿Qué es esto?
ISABELA. *(Aparte.)* ¡El rey! ¡Ay triste!
REY. ¿Quién eres?
D. JUAN. ¿Quién ha de ser?
Un hombre y una mujer.
REY. *(Aparte.)* Esto en prudencia consiste.—
¡Ah de mi guarda! Prendé
a este hombre.
ISABELA. ¡Ay perdido honor!
(Vase ISABELA.*)*

Sale DON PEDRO TENORIO, *embajador de España y* GUARDA

D. PED. ¡En tu cuarto, gran señor,
voces! ¿Quién la causa fué?
REY. Don Pedro Tenorio, a vos
esta prisión os encargo.
Siendo corto, andad vos largo;
mirad quién son estos dos.
Y con secreto ha de ser,
que algún mal suceso creo,
porque si yo aquí lo veo
no me queda más que ver *(Vase.)*
D. PED. Prendelde.
D. JUAN. ¿Quién da de osar?
Bien puedo perder la vida;
mas ha de ir tan bien vendida,
que a alguno le ha de pesar.
D. PED. ¡Matalde!
D. JUAN. ¿Quién os engaña?
Resuelto en morir estoy,
porque caballero soy
del embajador de España.
Llegue; que solo ha de ser
quien me rinda.

D. PED. Apartad;
a ese cuarto os retirad
todos con esa mujer. *(Vanse.)*
Ya estamos solos los dos;
muestra aquí tu esfuerzo y brío.

D. JUAN. Aunque tengo esfuerzo, tío,
no lo tengo para vos.

D. PED. ¡Di quién eres!

D. JUAN. Ya lo digo:
tu sobrino.

D. PED. *(Ap.)* ¡Ay corazón,
que temo alguna traición!
¿Qué es lo que has hecho, enemigo?
¿Cómo estás de aquesa suerte?
Dime presto lo que ha sido.
¡Desobediente, atrevido!...
Estoy por darte la muerte.
Acaba.

D. JUAN. Tío y señor,
mozo soy y mozo fuiste;
y pues que de amor supiste,
tenga disculpa mi amor.
Y, pues a decir me obligas
la verdad, oye y diréla:
yo engañé y gocé a Isabela
la duquesa...

D. PED. No prosigas,
tente. ¿Cómo la engañaste?
Habla quedo [o] cierra el labio.

D. JUAN. Fingí ser el duque Octavio...

D. PED. No digas más, calla, baste.—
(Ap.) Perdido soy si el rey sabe
este caso. ¿Qué he de hacer?
Industria me ha de valer
en un negocio tan grave.—
Di, vil: ¿no bastó emprender
con ira y con fuerza extraña

tan gran traición en España
con otra noble mujer,
sino en Nápoles también
y en el palacio real,
con mujer tan principal?
¡Castíguete el cielo, amén!
Tu padre desde Castilla
a Nápoles te envió,
y en sus márgenes te dió
tierra la espumosa orilla
del mar de Italia, atendiendo
que el de haberte recebido
pagaras agradecido,
¡y estás su honor ofendiendo
y en tal principal mujer!
Pero en aquesta ocasión
nos daña la dilación;
mira qué quieres hacer.

D. JUAN. No quiero daros disculpa,
que la habré de dar siniestra.
Mi sangre es, señor, la vuestra;
sacadla, y pague la culpa.
A esos pies estoy rendido,
y ésta es mi espada, señor.

D. PED. Alzate y muestra valor,
que esa humildad me ha vencido.
¿Atreveráste a bajar
por ese balcón?

D. JUAN. Sí atrevo,
que alas en tu favor llevo.

D. PED. Pues yo te quiero ayudar.
Vete a Sicilia o Milán,
donde vivas encubierto.

D. JUAN. Luego me iré.

D. PED. ¿Cierto?

D. JUAN. Cierto.

D. PED. Mis cartas te avisarán

en qué para este suceso
triste, que causado has.

D. JUAN. (*Aparte.*) Para mí alegre, dirás.—
Que tuve culpa, confieso.

D. PED. Esa mocedad te engaña.
Baja, pues, ese balcón.

D. JUAN. (*Aparte.*) Con tan justa pretensión
gozoso me parto a España.

(*Vase* DON JUAN *y entra el* REY.)

D. PED. Ejecutando, señor,
lo que mandó vuestra alteza,
el hombre...

REY. ¿Murió?

D. PED. Escapóse
de las cuchillas soberbias.

REY. ¿De qué forma?

D. PED. De esta forma:
Aun no lo mandaste apenas,
cuando, sin dar más disculpa,
la espada en la mano aprieta,
revuelve la capa al brazo,
y con gallarda presteza,
ofendiendo a los soldados
y buscando su defensa,
viendo vecina la muerte,
por el balcón de la huerta
se arroja desesperado.
Siguióle con diligencia
tu gente; cuando salieron
por esa vecina puerta,
le hallaron agonizando
como enroscada culebra.
Levantóse, y al decir
los soldados: «¡muera, muera!».
bañado de sangre el rostro,
con tan heroica presteza
se fué, que quedé confuso.
La mujer, que es Isabela,

—que para admirarte nombro—
retirada en esa pieza,
dice que es el duque Octavio
que, con engaño y cautela,
la gozó.

REY. ¿Qué dices?

D. PED. Digo
lo que ella misma confiesa.

REY. *(Aparte.)* ¡Ah pobre honor! Si eres alma
del [hombre], ¿por qué te dejan
en la mujer inconstante,
si es la misma ligereza?—
¡Hola!

Sale un CRIADO

CRIADO ¡Gran señor!

REY. Traed
delante de mi presencia
esa mujer.

D. PED. Ya la guardia
viene, gran señor, con ella.

(Trae la Guardia a Isabela)

ISABELA. *(Aparte.)* ¿Con qué ojos veré al rey?

REY. Idos, y guardad la puerta
de esa cuadra. —Di, mujer:
¿qué rigor, qué airada estrella
te incitó, que en mi palacio,
con hermosura y soberbia,
profanases sus umbrales?

ISABELA. Señor...

REY. Calla, que la lengua
no podrá dorar el yerro
que has cometido en mi ofensa.
¿Aquél era el duque Octavio?

ISABELA. Señor...

REY. ¡Qué importan fuerzas.
guarda, criados, murallas,
fortalecidas almenas

para amor, que la de un niño
hasta los muros penetra!
Don Pedro Tenorio: al punto
a esa mujer llevad presa
a una torre, y con secreto
haced que al duque le prendan,
que quiero hacer que le cumpla
la palabra o la promesa.

ISABELA. Gran señor, volvedme el rostro.

REY. Ofensa a mi espalda hecha
es justicia y es razón
castigalla a espaldas vueltas. *(Vase el* REY.*)*

D. PED. Vamos, duquesa.

ISABELA. Mi culpa
no hay disculpa que la venza;
mas no será el yerro tanto
si el duque Octavio lo enmienda.

Vanse, y salen el DUQUE OCTAVIO *y* RIPIO, *su criado*

RIPIO. ¿Tan de mañana, señor,
te levantas?

OCTAV. No hay sosiego
que pueda apagar el fuego
que enciende en mi alma amor.
Porque, como al fin es niño,
no apetece cama blanda,
entre regalada holanda,
cubierta de blanco armiño.
Acuéstate, no sosiega,
siempre quiere madrugar
por levantarse a jugar,
que, al fin, como niño, juega.
Pensamientos de Isabela
me tienen, amigo, en calma (1),

---

(1) Por analogía con las calmas marítimas, trágicas en la navegación a vela, *desesperación, desamparo.* Tambien *suspenso. desazonado.*

que como vive en el alma
anda el cuerpo siempre en pena,
guardando ausente y presente
el castillo del honor.

RIPIO Perdóname, que tu amor
es amor impertinente

OCTAV. ¿Qué dices, necio?

RIPIO. Esto digo:
impertinencia es amar
como amas; ¿quieres escuchar?

OCTAV. Ea, prosigue.

RIPIO. Ya prosigo.
¿Quiérete Isabela a ti?

OCTAV. ¿Eso, necio, has de dudar?

RIPIO. No; mas quiero preguntar:
¿y tú, no la quieres?

OCTAV. Sí.

RIPIO. Pues ¿no seré majadero,
y de solar conocido,
si pierdo yo mi sentido
por quien me quiere y la quiero?
Si ella a ti no te quisiera,
fuera bien el porfialla,
regalalla y adoralla,
y aguardar que se rindiera;
mas si los dos os queréis
con una mesma igualdad,
dime: ¿hay más dificultad
de que luego os desposéis?

OCTAV. Eso fuera, necio, a ser
de lacayo o lavandera
la boda.

RIPIO. Pues, ¿es quienquiera
una lavandriz mujer,
lavando, fregatrizando,
defendiendo y ofendiendo,
los paños suyos tendiendo,
regalando y remedando?

Dando dije, porque al dar
no hay cosa que se le iguale,
y si no a Isabela dale,
a ver si sabe tomar.

Sale un CRIADO

CRIADO. El embajador de España
en este punto se apea
en el zaguán, y desea,
con ira y fiereza extraña,
hablarte, y si no entendí
yo mal, entiendo es prisión.

OCTAV. ¡Prisión! Pues ¿por que ocasión?
Decid que entre.

Sale DON PEDRO TENORIO, *con guardas*

D. PED. Quien así
con tanto descuido duerme,
limpia tiene la conciencia.

OCTAV. Cuando viene vuexcelencia
a honrarme y favorecerme
no es justo que duerma yo;
velaré toda mi vida.
¿A qué y por qué es la venida?

D. PED. Porque aquí el rey me envió.

OCTAV. Si el rey, mi señor, se acuerda
de mí en aquesta ocasión,
será justicia y razón
que por él la vida pierda.
Decidme, señor, ¿qué dicha
o qué estrella me ha guiado
que de mí el rey se ha acordado?

D. PED. Fué, duque, vuestra desdicha.
Embajador del rey soy;
dél os traigo una embajada.

OCTAV. Marqués, no me inquieta nada;
decid que aguardando estoy.

D. PED. A prenderos me ha enviado
el rey; no os alborotéis.

OCTAV. ¡Vos por el rey me prendéis!
Pues ¿en qué he sido culpado?

D. PED. Mejor lo sabéis que yo;
mas, por si acaso me engaño,
escuchad el desengaño.
y a lo que el rey me envió.
Cuando los negros gigantes,
plegando funestos toldos,
ya del crepúsculo huyen,
tropezando unos con otros,
estando yo con su alteza
tratando ciertos negocios
—porque antípodas del sol
son siempre los poderosos—,
voces de mujer oímos
cuyos ecos, menos roncos
por los artesones sacros,
nos repitieron «¡socorro!»
A las voces y al ruïdo
acudió, duque, el rey propio,
halló a Isabela en los brazos
de algún hombre poderoso;
mas quien el cielo se atreve,
sin duda es gigante y monstruo.
Mandó el rey que los prendiera;
quedé con el hombre solo;
llegué y quise desarmalle;
pero pienso que el Demonio
en él tomó forma humana,
pues que, vuelto en humo y polvo,
se arrojó por los balcones,
entre los pies de esos olmos
que coronan, del palacio,
los chapiteles hermosos.
Hice prender la duquesa,
y en la presencia de todos

dice que es el duque Octavio
el que con mano de esposo
la gozó.

OCTAV. ¿Qué dices?

D. PED. Digo
lo que al mundo es ya notorio
y que tan claro se sabe:
que Isabela por mil modos...

OCTAV. Dejadme, no me digáis
tan gran traición de Isabela.
Mas si fué su [amor] cautela,
proseguid, ¿por qué calláis?
Mas si el veneno me dais,
que a un firme corazón toca,
y así a decir me provoca,
que imita a la comadreja,
que concibe por la oreja
para parir por la boca.
¿Será verdad que Isabela,
alma, se olvidó de mí
para darme muerte? Sí,
que el bien suena y el mal vuela.
Ya el pecho nada recela
juzgando si son antojos;
que, por darme más enojos,
al entendimiento entró,
y por la oreja escuchó
lo que acreditan los ojos.
Señor marqués, ¿es posible
que Isabela me ha engañado,
y que mi amor ha burlado?
¡Parece cosa imposible!
¡Oh mujer! ¡Ley tan terrible
de honor, a quien me provoco
a emprender! Mas yo no toco
en tu honor esta cautela.
¿Anoche con Isabela
hombre en palacio?... Estoy loco.

D. PED. Como es verdad que en los vientos
hay aves, en el mar peces,
que participan a veces
de todos cuatro elementos;
como en la gloria hay contentos,
lealtad en el buen amigo
traición en el enemigo,
en la noche oscuridad
y en el día claridad,
así es verdad lo que digo.

OCTAV. Marqués, yo os quiero creer.
Ya no hay cosa que me espante,
que la mujer más constante
es, en efeto, mujer.
No me queda más que ver,
pues es patente mi agravio.

D. PED. Pues que sois prudente y sabio,
elegid el mejor medio.

OCTAV. Ausentarme es mi remedio.

D. PED. Pues sea presto, duque Octavio.

OCTAV. Embarcarme quiero a España,
y darle a mis males fin.

D. PED. Por la puerta del jardín,
duque, esta prisión se engaña.

OCTAV. ¡Ah, veleta! ¡Débil caña!
A más furor me provoco,
y extrañas provincias toco
huyendo desta cautela.
¡Patria, adiós! ¿Con Isabela
hombre en palacio? ¡Estoy loco!

Vanse y sale TISBEA, *pescadora, con una caña de pescar en la mano.*

TISBEA. Yo, de cuantas el mar
pies de jazmín y rosa,
en sus riberas besa
con fugitivas olas,
sola de amor esenta,

como en ventura sola,
tirana me reservo
de sus prisiones locas,
aquí donde el sol pisa
soñolientas las ondas,
alegrando zafiros
las que espantaba sombras.
Por la menuda arena,
(unas veces aljófar
y átomos otras veces
del sol que así la adora),
oyendo de las aves
las quejas amorosas,
y los combates dulces
del agua entre las rocas;
ya con la sutil caña
que al débil peso dobla
del necio pececillo
que el mar salado azota;
o ya con la atarraya
(que en sus moradas hondas
prenden cuantos habitan
aposentos de conchas),
segura me entretengo,
que en libertad se goza
el alma que amor áspid
no le ofende ponzoña.
En pequeñuelo esquife,
y en compañía de otras,
tal vez al mar le peino
la cabeza espumosa;
y cuando más perdidas
querellas de amor forman,
como de todo río,
envidia soy de todas.
Dichosa yo mil veces,
amor, pues me perdonas,
si ya, por ser humilde,

no desprecias mi choza.
Obeliscos de paja
mi edificio coronan,
nidos, si no hay cigarras,
a tortolillas locas.
Mi honor conservo en pajas,
como fruta sabrosa,
vidrio guardado en ellas
para que no se rompa.
De cuantos pescadores
con fuego Tarragona
de piratas defiende
en la argentada costa,
desprecio soy [y] encanto;
a sus suspiros, sorda;
a sus ruegos, terrible;
a sus promesas, roca.
Anfriso, a quien el cielo
con mano poderosa,
prodigio en cuerpo y alma,
dotó de gracias todas,
medido en las palabras,
liberal en las obras,
sufrido en los desdenes,
modesto en las congojas,
mis pajizos umbrales,
que heladas noches ronda,
a pesar de los tiempos,
las mañanas remoza;
pues con [los] ramos verdes,
que de los olmos corta,
mis pajas amanecen
ceñidas de lisonjas.
Ya con vigüelas dulces
y sutiles zampoñas
música me consagra;
y todo no me importa,
porque en tirano imperio

vivo, de amor señora;
que hallo gusto en sus penas
y en sus infiernos gloria.
Todas por él se mueren,
y yo, todas las horas,
le mato con desdenes:
de amor condición propia,
querer donde aborrecen,
despreciar donde adoran;
que si le alegran, muere,
y vive si le oprobian.
En tan alegre día
segura de lisonjas,
mis juveniles años
amor no los malogra;
que en edad tan florida,
amor, no es suerte poca
no ver entre estas redes
las tuyas amorosas.
Pero, necio discurso
que mi ejercicio estorbas,
en él no me diviertas
en cosa que no importa.
Quiero entregar la caña
al viento, y a la boca
del pececillo el cebo.
Pero al agua se arrojan
dos hombres de una nave,
antes que el mar la sorba,
que sobre el agua viene
y en un escollo aborda;
como hermoso pavón,
hace las velas cola,
adonde los pilotos
todos los ojos pongan.
Las olas va escarbando;
y ya su orgullo y pompa
casi la desvanece.

Agua un costado toma...
Hundióse y dejó al viento
la gavia, que la escoja
para morada suya,
que un loco en gavias mora.
(Dentro: ¡Que me ahogo!)
Un hombre al otro aguarda
que dice que se ahoga.
¡Gallarda cortesía!
En los hombros le tomo.
Anquises le hace Eneas,
si el mar está hecho Troya.
Ya, nadando, las aguas
con valentía corta,
y en la playa no veo
quien le ampare y socorra.
Daré voces: ¡Tirseo,
Anfriso, Alfredo, hola!
Pescadores me miran,
¡plega a Dios que me oigan!
Mas milagrosamente
ya tierra los dos toman:
sin aliento el que nada,
con vida el que le estorba.

Saca en brazos CATALINÓN *a* DON JUAN, *mojados*

CATAL. ¡Válgame la cananea,
y qué salado está el mar!
Aquí puede bien nadar
el que salvarse desea,
que allá dentro es desatino,
donde la muerte se fragua;
donde Dios juntó tanta agua,
no juntara tanto vino.
Agua salada: ¡estremada
cosa para quien no pesca!
Si es mala aun el agua fresca,
¿qué será el agua salada?

¡Oh, quién hallara una fragua
de vino, aunque algo encendido!
Si del agua que he bebido
escapo yo, no más agua.
Desde hoy abernuncio della,
que la devoción me quita
tanto, que aun agua bendita
no pienso ver, por no vella.
¡Ah señor! Helado y frío
está. ¿Si estará ya muerto?
Del mar fué este desconcierto,
y mío este desvarío.
¡Mal haya aquel que primero
pinos en la mar sembró,
y que sus rumbos midió
con quebradizo madero!
¡Maldito sea el vil sastre
que cosió el mar que dibuja
con astronómica aguja,
causa de tanto desastre!
¡Maldito sea Jasón,
y Tifis maldito sea!
Muerto está, no hay quien lo crea;
¡mísero Catalinón!
¿Qué he de hacer?

TISBEA. Hombre, ¿qué tienes
en desventuras iguales?

CATAL. Pescadora, muchos males,
y falta de muchos bienes.
Veo, por librarme a mí,
sin vida a mi señor. Mira
si es verdad.

TISBEA. No, que aun respira.

CATAL. ¿Por dónde? ¿Por aquí?

TISBEA. Sí;
pues ¿por dónde?

CATAL. Bien podía
respirar por otra parte.

TISBEA. Necio estás.
CATAL. Quiero besarte
las mano de nieve fría.
TISBEA. Ve a llamar los pescadores
que en aquella choza están.
CATAL. Y si los llamo, ¿vernán?
TISBEA. Vendrán presto. No lo ignores.
¿Quién es este caballero?
CATAL. Es hijo aqueste señor
del camarero mayor
del rey, por quien ser espero
antes de seis días conde
en Sevilla, adonde va,
y adonde su alteza está,
si a mi amistad corresponde.
TISBEA. ¿Cómo se llama?
CATAL. Don Juan
Tenorio.
TISBEA. Llama mi gente.
CATAL. Ya voy.
(Coge en el regazo Tisbea a Don Juan)
TISBEA. Mancebo excelente,
gallardo, noble y galán.
Volved en vos, caballero.
D. JUAN. ¿Dónde estoy?
TISBEA. Ya podéis ver:
en brazos de una mujer.
D. JUAN. Vivo en vos, si en el mar muero.
Ya perdí todo el recelo,
que me pudiera anegar,
pues del infierno del mar
salgo a vuestro claro cielo.
Un espantoso huracán
dió con mi nave al través,
para arrojarme a esos pies
que abrigo y puerto me dan.
Y en vuestro divino oriente
renazco, y no hay que espantar,

pues veis que hay de amar a mar
una letra solamente.

TISBEA. Muy grande aliento tenéis
para venir sin aliento,
y tras de tanto tormento
muy gran contento ofrecéis.
Pero si es tormento el mar
y sus ondas crueles,
la fuerza de los cordeles,
pienso que os hace hablar.
Sin duda que habéis bebido
del mar la oración pasada,
pues, por ser de agua salada,
con tan grande sal ha sido.
Mucho habláis cuando no habláis,
y cuando muerto venís
mucho al parecer sentís;
¡plega a Dios que no mintáis!
Parecéis caballo griego
que el mar a mis pies desagua,
pues venís formado de agua,
y estáis preñado de fuego.
Y si mojado abrasáis,
estando enjuto, ¿qué haréis?
Mucho fuego prometéis;
¡plega a Dios que no mintáis!

D. JUAN. A Dios, zagala, plugiera
que en el agua se anegara
para que cuerdo acabara
y loco en vos no muriera;
que el mar pudiera anegarme
entre sus olas de plata
que sus límites desata;
mas no pudiera abrasarme.
Gran parte del sol mostráis,
pues que el sol os da licencia,
pues sólo con la apariencia,
siendo de nieve abrasáis.

TISBEA. Por más helado que estáis,
tanto fuego en vos tenéis,
que en este mío os ardéis.
¡Plega a Dios que no mintáis!

Salen CATALINÓN, CORIDÓN *y* ANFRISO, *pescadores*

CATAL. Ya vienen todos aquí.
TISBEA. Y ya está tu dueño vivo.
D. JUAN. Con tu presencia recibo
el aliento que perdí.
CORID. ¿Qué nos mandas?
TISBEA. Coridón,
Anfriso, amigos...
CORID. Todos
buscamos por varios modos
esta dichosa ocasión.
Di que nos mandas, Tisbea,
que por labios de clavel
no lo habrás mandado a aquel
que idolatrarte desea,
apenas, cuando al momento,
sin cesar, en llano o sierra,
surque el mar, tale la tierra,
pise el fuego, y pare el viento.
TISBEA. *(Aparte.)* ¡Oh, que mal me parecían
estas lisonjas ayer,
y hoy echo en ellas de ver
que sus labios no mentían!—
Estando, amigos, pescando
sobre este peñasco, vi
hundirse una nave allí,
y entre las olas nadando
dos hombres; y compasiva,
di voces, y nadie oyó;
y en tanta aflición, llegó
libre de la furia esquiva
del mar, sin vida a la arena,
déste en los hombros cargado,

un hidalgo y [a] anegado,
y envuelta en tan triste pena
a llamaros envié.

ANFRIS. Pues aquí todos estamos,
manda que tu gusto hagamos,
lo que pensado no fué.

TISBEA. Que a mi choza los llevemos
quiero, donde, agradecidos,
reparemos sus vestidos,
y allí los regalaremos;
que mi padre gusta mucho
desta debida piedad.

CATAL. ¡Estremada es su beldad!

D. JUAN. Escucha aparte.

CATAL. Ya escucho.

D. JUAN. Si te preguntan quién soy,
di que no sabes.

CATAL. ¡A mí...
quieres advertirme a mí
lo que he de hacer!

D. JUAN. Muerto voy
por la hermosa pescadora.
Esta noche he de gozalla.

CATAL. ¿De qué suerte?

D. JUAN. Ven y calla.

CORID. Anfriso: dentro de un hora
los pescadores prevén
que canten y bailen.

ANFRIS. Vamos,
y esta noche nos hagamos
rajas y palos también.

D. JUAN. Muerto soy.

TISBEA. ¿Cómo, si andáis?

D. JUAN. Ando en pena, como veis.

TISBEA. Mucho habláis.

D. JUAN. Mucho entendéis.

TISBEA. ¡Plega a Dios que no mintáis! *(Vanse.)*

Salen DON GONZALO DE ULLOA *y el* REY DON ALFONSO DE CASTILLA

REY. ¿Cómo os ha sucedido en la embajada,
comendador mayor?

D. GON. Hallé en Lisboa
al rey don Juan, tu primo, previniendo
treinta naves de armada.

REY. ¿Y para dónde?

D. GON. Para Goa me dijo; mas yo entiendo
que a otra empresa más fácil apercibe.
A Ceuta o Tánger pienso que pretende
cercar este verano.

REY. Dios le ayude,
y premie el celo de aumentar su gloria.
¿Qué es lo que concertasteis?

D. GON. Señor, pide
a Serpa y Mora, u Olivencia y Toro;
y por eso te vuelve a Villaverde,
al Almendral, a Mértola y Herrera
entre Castilla y Portugal.

REY. Al punto
se firmen los conciertos, don Gonzalo.
Mas decidme primero cómo ha ido
en el camino, que vendréis cansado
y alcanzado también.

D. GON. Para serviros,
nunca, señor, me canso.

REY. ¿Es buena tierra
Lisboa?

D. GON. La mayor ciudad de España;
y si mandas que diga lo que he visto
de lo exterior y célebre, en un punto
en tu presencia te pondré un retrato.

REY. Yo gustaré de oíllo. Dadme silla.

D. GON. Es Lisboa una otava maravilla.
De las entrañas de España,
que son las tierras de Cuenca,

nace el caudaloso Tajo,
que media España atraviesa.
Entra en el mar Oceano,
en las sagradas riberas
de esta ciudad, por la parte
del sur; mas antes que pierda
su curso y su claro nombre,
hace un puerto entre dos sierras,
donde están de todo el orbe
barcas, naves, carabelas.
Hay galeras y saetías
tantas, que desde la tierra
parece una gran ciudad
adonde Neptuno reina.
A la parte del poniente
guardan del puerto dos fuerzas
de *Cascaes* y *San Gian*,
las más fuertes de la tierra.
Está, desta gran ciudad,
poco más de media legua,
Belén, convento del santo
conocido por la piedra,
y por el león de guarda,
donde los reyes y reinas
católicos y cristianos
tienen sus casas perpetuas.
Luego esta máquina insigne,
desde Alcántara comienza
una gran legua a tenderse
al convento de Jabregas.
En medio está el valle hermoso
coronado de tres cuestas,
que quedara corto Apeles
cuando [pintarlas] quisiera;
porque, miradas de lejos,
parecen piñas de perlas
que están pendientes del cielo,
en cuya grandeza inmensa

se ven diez Romas cifradas
en conventos y en iglesias,
en edificios y calles,
en solares y encomiendas,
en las letras y en las armas,
en la justicia tan recta,
y en una *Misericordia*
que está honrando su ribera,
y pudiera honrar a España
y aun enseñar a tenerla.
Y lo que yo más alabo
desta máquina soberbia,
es que del mismo castillo
en distancia de seis leguas,
se ven sesenta lugares
que llega el mar a sus puertas,
uno de los cuales es
el convento de Odivelas,
en el cual vi por mis ojos
seiscientas y treinta celdas,
y entre monjas y beatas
pasan de mil y doscientas.
Tiene desde allí Lisboa,
en distancia muy pequeña,
mil y ciento y treinta quintas,
que en nuestra provincia Bética
llaman cortijos, y todas
con sus huertos y alamedas.
En medio de la ciudad
hay una plaza soberbia
que se llama del *Rucío*,
grande, hermosa y bien dispuesta,
que habrá cien años y aun más
que el mar bañaba su arena,
y ahora della a la mar
hay treinta mil casas hechas,
que, perdiendo el mar su curso,
se tendió a partes diversas.

Tiene una calle que llaman
rua Nova o calle Nueva,
donde se cifra el Oriente
en grandezas y riquezas;
tanto, que el rey me contó
que hay un mercader en ella
que, por no poder contarlo,
mide el dinero a fanegas.
el terreno, donde tiene
Portugal su casa regia,
tiene infinitos navíos,
varados siempre en la tierra,
de sólo cebada y trigo
de Francia y Ingalaterra.
Pues el palacio real,
que el Tajo sus manos besa,
es edificio de Ulises,
que basta para grandeza,
de quien toma la ciudad
nombre en la latina lengua,
llamándose Ulisibona,
cuyas armas son la esfera,
por pedestal de las llagas
que en la batalla sangrienta
al rey don Alfonso Enríquez
dió la Majestad Inmensa.
Tiene en su gran tarazana
diversas naves, y entre ellas,
las naves de la conquista,
tan grandes, que de la tierra
miradas, juzgan los hombres
que tocan en las estrellas.
Y lo que desta ciudad
te cuento por excelencia
es, que estando sus vecinos
comiendo, desde las mesas
ven los copos del pescado
que junto a sus puertas pescan,

que, bullendo entre las redes,
vienen a entrarse por ellas;
y sobre todo, el llegar
cada tarde a su ribera
más de mil barcos cargados
de mercancías diversas,
y de sustento ordinario:
pan, aceite, vino y leña,
frutas de infinita suerte,
nieve de Sierra de Estrella
que por las calles a gritos,
puesta sobre las cabezas,
las venden. Mas, ¿qué me canso?;
porque es contar las estrellas
querer contar una parte
de la ciudad opulenta.
Ciento y treinta mil vecinos
tiene, gran señor, por cuenta,
y por no cansarte más,
un rey que tus manos besa.

REY. Más estimo, don Gonzalo,
escuchar de vuestra lengua
esa relación sucinta,
que haber visto su grandeza.
¿Tenéis hijos?

D. GON. Gran señor,
una hija hermosa y bella,
en cuyo rostro divino
se esmeró naturaleza.

REY. Pues yo os la quiero casar
de mi mano.

D. GON. Como sea
tu gusto, digo, señor,
que yo lo acepto por ella.
Pero ¿quién es el esposo?

REY. Aunque no está en esta tierra,
es de Sevilla, y se llama
don Juan Tenorio.

D. GON. Las nuevas
voy a llevar a doña Ana.
REY. Id en buena hora, y volved,
Gonzalo, con la respuesta.

Vanse, y sale DON JUAN TENORIO
y CATALINÓN

D. JUAN. Esas dos yeguas prevén.
pues acomodadas son.
CATAL. Aunque soy Catalinón (1),
soy, señor, hombre de bien;
que no se dijo por mí:
«Catalinón es el hombre»;
que sabes que aquese nombre
me asienta al revés a mí.
D. JUAN. Mientras que los pescadores
van de regocijo y fiesta,
tú las dos yeguas apresta,
que de sus pies voladores
sólo nuestro engaño fío.
CATAL. Al fin ¿pretendes gozar
a Tisbea?
D. JUAN. Si burlar
es hábito antiguo mío,
¿qué me preguntas, sabiendo
mi condición?
CATAL. Ya sé que eres
castigo de las mujeres.
D. JUAN. Por Tisbea estoy muriendo,
que es buena moza.
CATAL. ¡Buen pago
a su hospedaje deseas!
D. JUAN. Necio, lo mismo hizo Eneas
con la reina de Cartago.

---

(1) Apodo que quiere decir cobarde, por no darle otra explicación más escatológica.

CATAL. Los que fingís y engañáis
las mujeres, de esa suerte
lo pagaréis con la muerte.

D. JUAN. ¡Qué largo me lo fiáis!
Catalinón con razón
te llaman.

CATAL. Tus pareceres
sigue, que en burlar mujeres
quiero ser Catalinón.
Ya viene la desdichada.

D. JUAN. Vete, y las yeguas prevén.

CATAL. ¡Pobre mujer! Harto bien
te pagamos la posada.

Vase CATALINÓN *y sale* TISBEA

TISBEA. El rato que sin ti estoy
estoy ajena de mí.

D. JUAN. Por lo que finges ansí,
ningún crédito te doy.

TISBEA. ¿Por qué?

D. JUAN. Porque, si me amaras,
mi alma favorecieras.

TISBEA. Tuya soy.

D. JUAN. Pues di, ¿qué esperas,
o en qué, señora, reparas?

TISBEA. Reparo en que fué castigo
de amor el que he hallado en ti.

D. JUAN. Si vivo, mi bien, en ti
a cualquier cosa me obligo.
Aunque yo sepa perder
en tu servicio la vida,
la diera por bien perdida,
y te prometo de ser
tu esposo.

TISBEA. Soy desigual
a tu ser.

D. JUAN. Amor es rey

que iguala con justa ley
la seda con el sayal.

TISBEA. Casi te quiero creer;
mas sois los hombres traidores.

D. JUAN. ¿Posible, es, mi bien, que ignores
mi amoroso proceder?
Hoy prendes con tus cabellos
mi alma.

TISBEA. Yo a ti me allano
bajo la palabra y mano
de esposo.

D. JUAN. Juro, ojos bellos,
que mirando me matáis,
de ser vuestro esposo.

TISBEA. Advierte,
mi bien, que hay Dios y que hay muerte.

D. JUAN. *(Aparte.)* ¡Qué largo me lo fiáis!
Y mientras Dios me dé vida,
yo vuestro esclavo seré.
Ésta es mi mano y mi fe.

TISBEA. No seré en pagarte esquiva.

D. JUAN. Ya en mí mismo no sosiego.

TISBEA. Ven, y será la cabaña
del amor que me acompaña
tálamo de nuestro fuego.
Entre estas cañas te esconde
hasta que tenga lugar.

D. JUAN. ¿Por dónde tengo de entrar?

TISBEA. Ven y te diré por dónde.

D. JUAN. Gloria al alma, mi bien, dais,

TISBEA. Esa voluntad te obligue,
y si no, Dios te castigue.

D. JUAN. *(Aparte.)* ¡Qué largo me lo fiáis!

Vanse y salen CORIDÓN, ANFRISO,
BELISA *y* MÚSICOS

CORID. Ea, llamad a Tisbea,
y los zagales llamad

para que en la soledad
el huésped la corte vea.

ANFRIS. ¡Tisbea, Usindra, Atandria!
No vi cosa más cruel.
¡Triste y mísero de aquel
que [en] su fuego es salamandria!
Antes que el baile empecemos
a Tisbea prevengamos.

BELISA. Vamos a llamarla.

CORID. Vamos.

BELISA. A su cabaña lleguemos.

CORID. ¿No ves que estará ocupada
con los huéspedes dichosos,
de quien hay mil envidiosos?

ANFRIS. Siempre es Tisbea envidiada.

BELISA. Cantad algo mientras viene,
porque queremos bailar.

ANFRIS. ¿Cómo podrá descansar
cuidado que celos tiene?

(Cantan):

A pescar salió la niña
tendiendo redes;
y, en lugar de peces,
las almas prende.

Sale TISBEA

TISBEA. ¡Fuego, fuego, que me quemo,
que mi cabaña se abrasa!
Repicad a fuego, amigos,
que ya dan mis ojos agua.
Mi pobre edificio queda
hecho otra Troya en las llamas,
que después que faltan Troyas
quiere amor quemar cabañas.
Mas si amor abrasa peñas
con gran ira y fuerza estraña,

mal podrán de su rigor
reservarse humildes pajas.
¡Fuego, fuego, zagales, agua, agua!
¡Amor, clemencia, que se abrasa el alma!
¡Ay choza, vil instrumento
de mi deshonra y mi infamia!
¡Cueva de ladrones fiera,
que mis agravios ampara!
Rayos de ardientes estrellas
en tus cabelleras caigan,
porque abrasadas estén,
si del viento mal peinadas.
¡Ah falso huésped, que dejas
una mujer deshonrada!
Nube que del mar salió
para anegar mis entrañas.
¡Fuego, fuego, zagales, agua, agua!
¡Amor, clemencia, que se abrasa el alma!
Yo soy la que hacía siempre
de los hombres burla tanta;
que siempre las que hacen burla,
vienen a quedar burladas.
Engañóme el caballero
debajo de fe y palabra
de marido, y profanó
mi honestidad y mi cama.
Gozóme al fin, y yo propia
le di a su rigor las alas
en dos yeguas que crié,
con que me burló y se escapa.
Seguilde todos, seguilde.
Mas no importa que se vaya,
que en la presencia del rey
tengo de pedir venganza.
¡Fuego, fuego, zagales, agua, agua!
¡Amor, clemencia, que se abrasa el alma!

(*Vase* TISBEA.)

CORID. Seguid al vil caballero.

ANFRIS. ¡Triste del que pena y calla!
Mas ¡vive el cielo! que en él,
me he de vengar desta ingrata.
Vamos tras ella nosotros,
porque va desesperada,
y podrá ser que ella vaya
buscando mayor desgracia.

CORID. Tal fin la soberbia tiene.
¡Su locura y confianza
paró en esto!

(Dice Tisbea dentro: ¡Fuego, fuego!)

ANFRIS. Al mar se arroja.

CORID. Tisbea, detente y para.

TISBEA. ¡Fuego, fuego, zagales, agua, agua!
¡Amor, clemencia, que se abrasa el alma!

ANFRIS. Al mar se arroja.

CORID. Tisbea, detente y para.

TISBEA. ¡Fuego, fuego, zagales, agua, agua!
¡Amor, clemencia, que se abrasa el alma!

JORNADA SEGUNDA

Salen el REY DON ALONSO *y* DON DIEGO TENORIO *de barba*

REY. ¿Qué me dices?
D. DIEG. Señor, la verdad digo.
Por esta carta estoy del caso cierto,
que es de tu embajador y de mi hermano:
halláronle en la cuadra del rey mismo
con una hermosa dama de palacio.
REY. ¿Qué calidad?
D. DIEG. Señor, [es] la duquesa
Isabela.
REY. ¿Isabela?
D. DIEG. Por lo menos...
REY. ¡Atrevimiento temerario! ¿Y dónde
ahora está?
D. DIEG. Señor, a vuestra alteza
no he de encubrille la verdad: anoche
a Sevilla llegó con un criado.
REY. Ya conocéis, Tenorio, que os estimo,
y al rey (1) informaré del caso luego,
casando a ese rapaz con Isabela,
volviendo a su sosiego al duque Octavio,
que inocente padece; y luego al punto
haced que don Juan salga desterrado.
D. DIEG. ¿Adónde, mi señor?

---

(1) Se refiere al rey de Nápoles.

REY. Mi enojo vea
en el destierro de Sevilla; salga
a Lebrija esta noche, y agradezca
sólo al merecimiento de su padre...
Pero, decid, don Diego, ¿qué diremos
a Gonzalo de Ulloa, sin que erremos?
Caséle con su hija, y no sé cómo
lo puedo ahora remediar.

D. DIEG. Pues mira,
grande señor, qué mandas que yo haga
que esté bien al honor de esta señora,
hija de un padre tal.

REY. Un medio tomo,
con que absolvello del enojo entiendo:
mayordomo mayor pretendo hacelle.

Sale un CRIADO

CRIADO. Un caballero llega de camino,
y, señor, dice que es el duque Octavio.

REY. ¿El duque Octavio?

CRIADO. Sí, señor.

REY. Sin duda
que supo de don Juan el desatino,
y que viene, incitado a la venganza,
a pedir que le otorgue desafío.

D. DIEG. Gran señor, en tus heröicas manos
está mi vida, que mi vida propia
es la vida de un hijo inobediente;
que, aunque mozo, gallardo y valeroso,
y le llaman los mozos de su tiempo
el Héctor de Sevilla, porque ha hecho
tantas y tan extrañas mocedades,
la razón puede mucho. No permitas
el desafío, si es posible.

REY. Basta.
Ya os entiendo, Tenorio: honor de padre.
Entre el duque.

D. DIEG. Señor, dame esas plantas.
¿Cómo podré pagar mercedes tantas?

Sale el DUQUE OCTAVIO, *de camino*

OCTAV. A esos pies, gran señor, un peregrino,
mísero y desterrado, ofrece el labio,
juzgando por más fácil el camino
en vuestra gran presencia.

REY. Duque Octavio...

OCTAV. Huyendo vengo el fiero desatino
de una mujer, el no pensado agravio
de un caballero que la causa ha sido
de que así a vuestros pies haya venido.

REY. Ya, duque Octavio, sé vuestra inocencia.
Yo al rey escribiré que os restituya
en vuestro estado, puesto que el ausencia
que hicisteis algún daño os atribuya.
Yo os casaré en Sevilla con licencia
y también con perdón y gracia suya,
que puesto que Isabela un ángel sea,
mirando la que os doy, ha de ser fea.
Comendador mayor de Calatrava
es Gonzalo de Ulloa, un caballero
a quien el moro por temor alaba,
que siempre es el cobarde lisonjero.
Éste tiene una hija en quien bastaba
en dote la virtud, que considero,
después de la beldad, que es maravilla;
y es sol de las estrellas de Sevilla.
Ésta quiero que sea vuestra esposa.

OCTAV. Cuando yo este viaje le emprendiera
a sólo esto, mi suerte era dichosa
sabiendo yo que vuestro gusto fuera.

REY. Hospedaréis al duque, sin que cosa
en su regalo falte.

OCTAV. Quien espera
en vos, señor, saldrá de premios lleno.
Primero Alfonso sois, siendo el Onceno.

Vanse el REY *y* DON DIEGO, *y sale* RIPIO

RIPIO. ¿Qué ha sucedido?

OCTAV. Que he dado
el trabajo recebido,
conforme me ha sucedido,
desde hoy por bien empleado.
Hablé al rey, vióme y honróme.
César con el César fuí,
pues vi, peleé y vencí;
y hace (1) que esposa tome
de su mano, y se prefiere (2)
a desenojar al rey
en la fulminada ley.

RIPIO. Con razón el nombre adquiere
de generoso en Castilla.
Al fin, ¿te llegó a ofrecer
mujer?

OCTAV. Sí, amigo, mujer
de Sevilla, que Sevilla
da, si averiguallo quieres,
porque de oíllo te asombres,
si fuertes y airosos hombres,
también gallardas mujeres.
Un manto tapado, un brío,
donde un puro sol se asconde,
si no es en Sevilla, ¿adónde
se admite? El contento mío
es tal que ya me consuela
en mi mal.

Salen DON JUAN *y* CATALINÓN

CATAL. Señor: detente,
que aquí está el duque, inocente
Sagitario de Isabela,

---

(1) La *h*, aspirada, casi *j*.
(2) Se ofrece.

aunque mejor lo diré
Capricornio.

D. JUAN. Disimula.

CATAL. Cuando le vende le adula.

D. JUAN. Como a Nápoles dejé
por enviarme a llamar
con tanta priesa mi rey,
y como su gusto es ley,
no tuve, Octavio, lugar
de despedirme de vos
de ningún modo.

OCTAV. Por eso,
don Juan, amigo os confieso:
que hoy nos juntamos los dos
en Sevilla.

D. JUAN. ¡Quién pensara,
duque, que en Sevilla os viera
para que en ella os sirviera,
como yo lo deseara!
¿Vos, Puzol, vos la ribera
dejáis? Mas aunque es lugar
Nápoles tan excelente,
por Sevilla solamente
se puede, amigo, dejar.

OCTAV. Si en Nápoles os oyera
y no en la parte que estoy,
del crédito que ahora os doy
sospecho que me riera.
Mas llegándola a habitar
es, por lo mucho que alcanza,
corta cualquiera alabanza
que a Sevilla queráis dar.
¿Quién es el que viene allí?

D. JUAN. El que viene es el marqués
de la Mota. Descortés
es fuerza ser.

OCTAV. Si de mí
algo hubiereis menester,

aquí espada y brazo está.

CATAL. (*Aparte.*) Y si importa gozará
en su nombre otra mujer;
que tiene buena opinión.

D. JUAN De vos estoy satisfecho.

CATAL. Si fuere de algún provecho,
señores, Catalinón,
vuarcedes continuamente
me hallarán para servirlos.

RIPIO. ¿Y dónde?

CATAL. En los Pajarillos,
tabernáculo excelente.

Vanse OCTAVIO *y* RIPIO, *y sale*
el MARQUÉS DE LA MOTA

MOTA. Todo hoy os ando buscando,
y no os he podido hallar.
¿Vos, don Juan, en el lugar,
y vuestro amigo penando
en vuestra ausencia?

D. JUAN. ¡Por Dios
amigo, que me debéis
esa merced que me hacéis!

CATAL. (*Aparte.*) Como no lo entreguéis vos
moza o cosa que lo valga,
bien podéis fiaros dél;
que en cuanto (1) en esto es cruel,
tiene condición hidalga.

D. JUAN. ¿Qué hay de Sevilla?

MOTA. Está ya
toda esta corte mudada.

D. JUAN. ¿Mujeres?

MOTA. Cosa juzgada.

D. JUAN. ¿Inés?

MOTA. A Vejel se va.

D. JUAN. Buen lugar para vivir

(1) Aun cuando.

la que tan dama nació.

MOTA. El tiempo la desterró
a Vejel (1).

D. JUAN. Irá a morir.
¿Constanza?

MOTA. Es lástima vella
lampiña de frente y ceja.
Llámala el portugués vieja,
y ella imagina que bella.

D. JUAN. Sí, que *velha* en portugués
suena vieja en castellano.
¿Y Teodora?

MOTA. Este verano
se escapó del mal francés
por un río de sudores;
y está tan tierna y reciente,
que anteayer me arrojó un diente
envuelto entre muchas flores.

D. JUAN. ¿Julia, la del Candilejo?

MOTA. Ya con sus afeites lucha.

D. JUAN. ¿Véndese siempre por trucha?

MOTA. Ya se da por abadejo.

D. JUAN. El barrio de Cantarranas,
¿tiene buena población?

MOTA. Ranas las más dellas son.

D. JUAN. ¿Y viven las dos hermanas?

MOTA. Y la mona de Tolú
de su madre Celestina
que les enseña dotrina.

D. JUAN. ¡Oh, vieja de Bercebú!
¿Cómo la mayor está?

MOTA. Blanca, sin blanca ninguna;
tiene un santo a quien ayuna.

D. JUAN. ¿Agora en vigilias da?

MOTA. Es firme y santa mujer.

D. JUAN. ¿Y esotra?

---

(1) Vejer de la Frontera.

MOTA. Mejor principio
tiene; no desecha ripio.

D. JUAN. Buen albañir quiere ser.
Marqués: ¿qué hay de perros muertos? (1).

MOTA. Yo y don Pedro de Esquivel
dimos anoche un (2) cruel,
y esta noche tengo ciertos
otros dos.

D. JUAN. Iré con vos,
que también recorreré
cierto nido que dejé
en güevos para los dos.
¿Qué hay de terrero? (3).

MOTA. No muero
en terreno, que en-terrado
me tiene mayor cuidado.

D. JUAN. ¿Cómo?

MOTA. Un imposible quiero.

D. JUAN. Pues ¿no os corresponde?

MOTA. Sí.
Me favorece y estima.

D. JUAN. ¿Quién es?

MOTA. Doña Ana, mi prima,
que es recién llegada aquí.

D. JUAN. Pues ¿dónde ha estado?

MOTA. En Lisboa,
con su padre en la embajada.

D. JUAN. ¿Es hermosa?

MOTA. Es estremada,
porque en doña Ana de Ulloa
se estremó naturaleza.

D. JUAN. ¿Tan bella es esa mujer?
¡Vive Dios que la he de ver!

MOTA. Veréis la mayor belleza

---

(1) Engaño, burla, timo.
(2) Apócope de *uno*.
(3) *Hacer terrero:* galantear o enamorar a una dama desde la calle o campo delante de su casa

que los ojos del rey ven.

D. JUAN. Casaos, pues es estremada.

MOTA. El rey la tiene casada,
y no se sabe con quién.

D. JUAN. ¿No os favorece?

MOTA. Y me escribe.

CATAL. *(Aparte.)* No prosigas, que te engaña
el gran burlador de España.

D. JUAN. Quien tan satisfecho vive
de su amor, ¿desdichas teme?
Sacalda, solicitalda,
escribilda y engañalda,
y el mundo se abrase y queme.

MOTA. Agora estoy aguardando
la postrer resolución.

D. JUAN. Pues no perdáis la ocasión
que aquí estoy aguardando.

MOTA. Ya vuelvo.

(Vanse el MARQUÉS *y el* CRIADO*)*

CATAL. Señor Cuadrado
o señor Redondo, adiós.

CRIADO. Adiós.

D. JUAN. Pues solos los dos
amigo, hemos quedado,
síguele el paso al marqués,
que en el palacio se entró.

(Vase CATALINÓN.*)*

Habla por una reja una MUJER

MUJER. Ce, ¿a quién digo?

D. JUAN. ¿Quién llamó?

MUJER. Pues sois prudente y cortés
y su amigo, dalde luego
al marqués este papel;
mirad que consiste en él
de una señora el sosiego.

D. JUAN. Digo que se lo daré:
soy su amigo y caballero.

MUJER. Basta, señor forastero.
Adiós.

D. JUAN. Ya la voz se fué.
¿No parece encantamiento
esto que agora ha pasado?
A mí el papel ha llegado
por la estafeta del viento.
Sin duda que es de la dama
que el marqués me ha encarecido:
venturoso en esto he sido.
Sevilla a veces me llama
el Burlador, y el mayor
gusto que en mí puede haber
es burlar una mujer
y dejalla sin honor.
¡Vive Dios, que la he de abrir,
pues salí de la plazuela!
Mas ¿si hubiese otra cautela?...
Gana me da de reír.
Ya está abierto el tal papel
y que es suyo es cosa llana,
porque firma doña Ana.
Dice así: «*Mi padre infiel,*
en secreto me ha casado
sin poderme resistir;
no sé si podré vivir,
porque la muerte me ha dado.
Si estimas, como es razón,
mi amor y mi voluntad,
y si tu amor fué verdad,
muéstralo en esta ocasión.
Por que veas que te estimo,
ven esta noche a la puerta,
que estará a las once abierta,
donde tu esperanza primo,
goces, y el fin de tu amor.
Traerás, mi gloria, por señas

de Leonorilla y las dueñas,
una capa de color.
Mi amor todo de ti fío,
y adiós.» ¡Desdichado amante!
¿Hay suceso semejante?
Ya de la burla me río.
Gozaréla, ¡vive Dios!,
con el engaño y cautela
que en Nápoles a Isabela.

Sale CATALINÓN

CATAL. Ya el marqués viene.
D. JUAN. Los dos
aquesta noche tenemos
que hacer.
CATAL. ¿Hay engaño nuevo?
D. JUAN. Estremado.
CATAL. No lo apruebo.
Tú pretendes que escapemos
una vez, señor, burlados;
que el que vive de burlar
burlado habrá de escapar
pagando tantos pecados
de una vez.
D. JUAN. ¿Predicador
te vuelves, impertinente?
CATAL. La razón hace al valiente.
D. JUAN. Y al cobarde hace el temor.
El que se pone a servir
voluntad no ha de tener,
y todo ha de ser hacer,
y nada ha de ser decir.
Sirviendo, jugando estás,
y si quieres ganar luego,
hay siempre, porque en el juego,
quien más hace gana más.
CATAL. Y también quien hace y dice
pierde por la mayor parte.

D. JUAN. Esta vez quiero avisarte,
porque otra vez no te avise.

CATAL. Digo que de aquí adelante
lo que me mandas haré,
y a tu lado forzaré
un tigre y un elefante.
Guárdese de mí un prior,
que si me mandas me calle
y le fuerce, he de forzalle
sin réplica, mi señor.

D. JUAN. Calla, que viene el marqués.

CATAL. Pues, ¿ha de ser el forzado?

Sale el MARQUÉS DE LA MOTA

D JUAN. Para vos, marqués, me han dado
un recaudo harto cortés
por esa reja, sin ver
el que me lo daba allí;
sólo en la voz conocí
que me lo daba mujer.
Dícete, en fin, que a las doce
vayas secreto a la puerta
(que estará a las once abierta),
donde tu esperanza goce
la posesión de tu amor;
y que llevases por señas
de Leonorilla y las dueñas
una capa de color.

MOTA. ¿Qué dices?

D. JUAN. Que este recaudo
de una ventana me dieron,
sin ver quién.

MOTA. Con él pusieron
sosiego en tanto cuidado.
¡Ay amigo! Sólo en ti
mi esperanza renaciera.

Dame esos pies.

D. JUAN. Considera
que no está tu prima en mí.
Eres tú quien ha de ser
quien la tiene de gozar,
¿y me llegas a abrazar
los pies?

MOTA. Es tal el placer,
que me ha sacado de mí.
¡Oh sol!, apresura el paso.

D. JUAN. Ya el sol camina al ocaso.

MOTA. Vamos, amigos, de aquí,
y de noche nos pondremos.
¡Loco voy!

D. JUAN. *(Aparte.)* Bien se conoce;
mas yo bien sé que a las doce
harás mayores estremos.

MOTA. ¡Ay prima del alma, prima,
que quieres premiar mi fe!

CATAL. *(Aparte.)* ¡Vive Cristo, que no dé
una blanca por su prima!

Vase el MARQUÉS *y sale* DON DIEGO

D. DIEG. ¿Don Juan?

CATAL. Tu padre te llama.

D. JUAN. ¿Qué manda vueseñoría?

D. DIEG. Verte más cuerdo querría,
más bueno y con mejor fama.
¿Es posible que procures
todas las horas mi muerte?

D. JUAN. ¿Por qué vienes desa suerte?

D. DIEG. Por tu trato y tus locuras.
Al fin el rey me ha mandado
que te eche de la ciudad,
porque está de una maldad
con justa causa indignado.

Que, aunque me lo has encubierto,
ya en Sevilla el rey lo sabe,
cuyo delito es tan grave,
que a decírtelo no acierto.
¿En el palacio real
traición y con un amigo?
Traidor, Dios te dé el castigo
que pide delito igual.
Mira que, aunque al parecer
Dios te consiente y aguarda,
su castigo no se tarda,
y que castigo ha de haber
para los que profanáis
su nombre, que es jüez fuerte
Dios en la muerte.

D. JUAN. ¿En la muerte?
¿Tan largo me lo fiáis?
De aquí allá hay gran jornada.

D. DIEG. Breve te ha de parecer.

D. JUAN. Y la que tengo de hacer,
pues a su alteza le agrada,
agora, ¿es larga también?

D. DIEG. Hasta que el injusto agravio
satisfaga el duque Octavio,
y apaciguados estén
en Nápoles de Isabela
los sucesos que has causado,
en Lebrija retirado
por tu traición y cautela,
quiere el rey que estés agora:
pena a tu maldad ligera.

CATAL. *(Aparte.)* Si el caso también supiera
de la pobre pescadora,
más se enojara el buen viejo.

D. DIEG. Pues no te vence castigo
con cuanto hago y cuanto digo,
a Dios tu castigo dejo.

CATAL. Fuése el viejo enternecido.

D. JUAN. Luego las lágrimas copia (1),
condición de viejo propia.
Vamos, pues ha anochecido,
a buscar al marqués.

CATAL. Vamos,
y al fin gozarás su dama.

D. JUAN. Ha de ser burla de fama.

CATAL. Ruego al cielo que salgamos
della en paz.

D. JUAN. ¡Catalinón,
en fin! (2).

CATAL. Y tú, señor, eres
langosta de las mujeres,
y con público pregón,
porque de ti se guardara
cuando a noticia viniera
de la que doncella fuera,
fuera bien se pregonara:
«Guárdense todos de un hombre
que a las mujeres engaña,
y es el burlador de España.»

D. JUAN. Tú me has dado gentil nombre.

Sale el MARQUÉS, *de noche, con* MÚSICOS, *y pasea el tablado, y se entran cantando*

MÚSIC. *El que un bien gozar espera,*
cuanto espera desespera.

D. JUAN. ¿Qué es esto?

CATAL. Música es.

MOTA. Parece que habla conmigo
el poeta. ¿Quién va?

D. JUAN. Amigo.

MOTA. ¿Es don Juan?

D. JUAN. ¿Es el marqués?

MOTA. ¿Quién puede ser sino yo?

---

(1) Llora fácilmente. *Copia*, por cantidad.
(2) Cobarde, al fin.

D. JUAN. Luego que la capa vi,
que érades vos conocí.
MOTA. Cantad, pues don Juan llegó.
MÚSIC. *(Cantan):*

El que un bien gozar espera,
cuanto espera desespera.

D. JUAN. ¿Qué casa es la que miráis?
MOTA. De don Gonzalo de Ulloa.
D. JUAN. ¿Dónde iremos?
MOTA. A Lisboa.
D. JUAN. ¿Cómo, si en Sevilla estáis?
MOTA. Pues ¿aqueso os maravilla?
¿No vive con gusto igual,
lo peor de Portugal
en lo mejor de Castilla?
D. JUAN. ¿Dónde viven?
MOTA. En la calle
de la Sierpe, donde ves,
a Adán vuelto en portugués (1);
que en aqueste amargo valle
con bocados solicitan
mil Evas que, aunque dorados,
en efecto, con bocados
con que el dinero nos quitan.
CATAL. Ir de noche no quisiera
por esa calle cruel,
pues lo que de día es miel
entonces lo dan en cera.
Una noche, por mi mal,
la vi sobre mí vertida,
y hallé que era corrompida
la cera de Portugal.
D. JUAN. Mientras a la calle vais,
yo dar un perro (2) quisiera.
MOTA. Pues cerca de aquí me espera

(1) Por enamoradizo.
(2) Burla, engaño, como en *perro muerto*.

un bravo.

D. JUAN. Si me dejáis,
señor marqués, vos veréis
cómo de mí no se escapa.

MOTA. Vamos y poneos mi capa,
para que mejor lo deis.

D. JUAN. Bien habéis dicho. Venid,
y me enseñaréis la casa.

MOTA. Mientras el suceso pasa,
la voz y el habla fingid.
¿Veis aquella celosía?

D. JUAN. Ya la veo.

MOTA. Pues llegad
y decid: «Beatriz» y entrad.

D. JUAN. ¿Qué mujer?

MOTA. Rosada y fría

CATAL. Será mujer cantimplora.

MOTA. En Gradas os aguardamos.

D. JUAN. Adiós, marqués,

CATAL. ¿Dónde vamos?

D. JUAN. Calla, necio, calla agora;
adonde la burla mía
ejecute.

CATAL. No se escapa.
nadie de ti.

D. JUAN. El trueque adoro.

CATAL. Echaste la capa al toro.

D. JUAN. No, el toro me echó la capa.

(Vanse DON JUAN *y* CATALINÓN*)*

MOTA. La mujer ha de pensar
que soy él.

MÚSIC. ¡Qué gentil perro!

MOTA. Esto es acertar por yerro.

MÚSIC. Todo este mundo es errar.

(Cantan):

El que un bien gozar espera,
cuanto espera desespera.

(Vanse, y dice DOÑA ANA, *dentro.)*

ANA. ¡Falso!, no eres el marqués,
que me has engañado.

D. JUAN. Digo
que lo soy.

ANA. ¡Fiero enemigo,
mientes, mientes!

Sale DON GONZALO *con la espada desnuda*

D. GON. La voz es
de doña Ana la que siento.

ANA. *(Dentro.)* ¿No hay quien mate este traidor,
homicida de mi honor?

D. GON. ¿Hay tan grande atrevimiento?
Muerto honor, dijo, ¡ay de mí!,
y es su lengua tan liviana
que ahí sirve de campana.

ANA. Matalde.

Salen DON JUAN *y* CATALINÓN *con las espadas desnudas*

D. JUAN. ¿Quién está aquí?

D. GON. La barbacana caída
de la torre de mi honor,
echaste en tierra, traidor,
donde era alcaide la vida.

D. JUAN. Déjame pasar.

D. GON. ¿Pasar?
Por la punta desta espada.

D. JUAN. Morirás.

D. GON. No importa nada.

D. JUAN. Mira que te he de matar.

D. GON. ¡Muere, traidor!

D. JUAN. Desta suerte
muero.

CATAL. Si escapo de aquesta,
no más burlas, no más fiesta.

D. GON. ¡Ay, que me has dado la muerte!

D. JUAN. Tú la vida te quitaste.

D. GON. ¿De qué la vida servía?

D. JUAN. Huye.

(Vanse DON JUAN *y* CATALINÓN.*)*

D. GON. Aguarda que es sangría,
con que el valor aumentaste.
Muerto soy; no hay bien que aguarde.
Seguiráte mi furor;
que es traidor, y el que es traidor
es traidor porque es cobarde.

Entran muerto a DON GONZALO, *y salen el* MARQUÉS DE LA MOTA *y* MÚSICOS

MOTA. Presto las doce darán,
y mucho don Juan se tarda:
¡fiera prisión del que aguarda!

Salen DON JUAN *y* CATALINÓN.

D. JUAN. ¿Es el marqués?

MOTA. ¿Es don Juan?

D. JUAN. Yo soy; tomad vuestra capa.

MOTA. ¿Y el perro?

D. JUAN. Funesto ha sido.
Al fin, marqués, muerto ha habido.

CATAL. Señor, del muerto te escapa.

MOTA. ¿Búrlaste, amigo? ¿Qué haré?

CATAL. *(Aparte.)* También vos sois el burlado.

D. JUAN. Cara la burla ha costado.

MOTA. Yo, don Juan, lo pagaré,
porque estará la mujer
quejosa de mí.

D. JUAN. Las doce
darán.

MOTA. Como mi bien goce,
nunca llegue a amanecer.
D. JUAN. Adiós, marqués.
CATAL. Muy buen lance
el desdichado hallará.
D. JUAN. Huyamos.
CATAL. Señor, no habrá,
aguilita que me alcance. *(Vanse.)*
MOTA. Vosotros os podéis ir
todos a casa, que yo
he de ir solo.
CRIADOS. Dios crió
las noches para dormir.

(Vanse, y queda el MARQUÉS DE LA MOTA.*)*

(Dentro.) ¿Vióse desdicha mayor,
y vióse mayor desgracia?
MOTA. ¡Válgame Dios! Voces siento
en la plaza del Alcázar.
¿Qué puede ser a estas horas?
Un hielo el pecho me arraiga.
Desde aquí parece todo
una Troya que se abrasa,
porque tantas luces juntas
hacen gigantes de llamas.
Un grande escuadrón de hachas
se acerca a mí; ¿por qué anda
el fuego emulando estrellas,
dividiéndose en escuadras?
Quiero saber la ocasión.

Salen DON DIEGO TENORIO *y la* GUARDIA
con hachas

D. DIEG. ¿Qué gente?
MOTA. Gente que aguarda
saber de aqueste rüido
el alboroto y la causa.

D. DIEG. Prendeldo.

MOTA. ¿Prenderme a mí? *(Mete mano a la espada.)*

D. DIEG. Volved la espada a la vaina,
que la mayor valentía
es no tratar de las armas.

MOTA. ¿Cómo al marqués de la Mota
hablan ansí?

D. DIEG. Dad la espada,
que el rey os manda prender.

MOTA. ¡Vive Dios!

Sale el REY *y el acompañamiento*

REY. En toda España
no ha de caber, ni tampoco
en Italia, si va a Italia.

D. DIEG. Señor, aquí está el marqués.

MOTA. ¿Vuestra alteza a mí me manda
prender?

REY. Llevalde y ponelde
la cabeza en una escarpia.
¿En mi presencia te pones?

MOTA. ¡Ah glorias de amor tiranas,
siempre en el pasar ligeras,
como en el vivir pesadas!
Bien dijo un sabio que había
entre la boca y la taza
peligro; mas el enojo
del rey me admira y espanta.
No sé por lo que voy preso.

D. DIEG. ¿Quién mejor sabrá la causa
que vueseñoría?

MOTA. ¿Yo?

D. DIEG. Vamos.

MOTA. ¡Confusión extraña!

REY. Fulmínesele el proceso
al marqués luego, y mañana
le cortarán la cabeza.

Y al comendador, con cuanta
solenidad y grandeza
se da a las personas sacras
y reales, el entierro
se haga; en bronce y piedras varias
un sepulcro con un bulto
le ofrezcan, donde en mosaicas
labores, góticas letras
den lenguas a sus venganzas.
Y entierro, bulto y sepulcro
quiero que a mi costa se haga.
¿Dónde doña Ana se fué?

D. DIEG. Fuése al sagrado, doña Ana,
de mi señora la reina.

REY. Ha de sentir esta falta
Castilla; tal capitán
ha de llorar Calatrava. *(Vanse todos.)*

Sale BATRICIO *desposado con* AMINTA; GASENO, *viejo;* BELISA *y* PASTORES *músicos*

(Cantan):

Lindo sale el sol de abril
con trébol y torongil,
y aunque le sirva de estrella,
Aminta sale más bella.

BATRIC. Sobre esta alfombra florida,
adonde en campos de escarcha,
el sol sin aliento marcha
con su luz recién nacida,
os sentad, pues nos convida
al tálamo el sitio hermoso.

AMINTA. Cantalde a mi dulce esposo
avores de mil en mil.

(Cantan):

Lindo sale el sol de abril
con trébol y torongil,

y aunque le sirva de estrella,
Aminta sale más bella.

GASENO. Muy bien lo habéis solfeado;
no hay más sones en el kiries.
BATRIC. Cuando con sus labios tiries
vuelve en púrpura los labios
saldrán aunque vergonzosos,
afrentando el sol de abril.
AMINTA. Batricio, yo lo agradezco;
falso y lisonjero estás;
mas si tus rayos me das,
por ti ser luna merezco;
tú eres el sol por quien crezco
después de salir menguante.
Para que el alba te cante
la salva en torno sutil.

(Canta):

Lindo sale el sol, etc.

Sale CATALINÓN, *de camino*

CATAL. Señores, el desposorio
huéspedes ha de tener.
GASENO. A todo el mundo ha de ser
este contento notorio.
¿Quién viene?
CATAL. Don Juan Tenorio.
GASENO. ¿El viejo?
CATAL. No ese don Juan.
BELISA. Será su hijo galán.
BATRIC. Téngolo por mal agüero,
que galán y caballero
quitan gusto y celos dan.
Pues ¿quién noticias les dió
de mis bodas?
CATAL. De camino

pasa a Lebrija.

BATRIC. Imagino
que el demonio le envió.
Más ¿de qué me aflijo yo?
Vengan a mis dulces bodas
del mundo las gentes todas.
Mas con todo, un caballero
en mis bodas, ¡mal agüero!

GASENO. Venga el Coloso de Rodas,
venga el Papa, el Preste Juan
y don Alfonso el Onceno
con su corte, que en Gaseno
ánimo y valor verán.
Montes en casa hay de pan,
Guadalquivides de vino,
Babilonias de tocino,
y entre ejércitos cobardes
de aves, para que las lardes,
el pollo y el palomino.
Venga tan gran caballero
a ser hoy en Dos Hermanas
honra destas viejas canas.

BELISA. El hijo del camarero
mayor...

BATRIC. *(Ap.)* Todo es mal agüero
para mí, pues le han de dar
junto a mi esposa lugar.
Aun no gozo, y ya los cielos
me están condenando a celos.
Amor, sufrir y callar.

Sale DON JUAN TENORIO

D. JUAN. Pasando acaso he sabido
que hay bodas en el lugar,
y dellas quise gozar,
pues tan venturoso he sido.

GASENO. Vueseñoría ha venido

a honrallas y engrandecellas.

BATRIC. Yo, que soy el dueño dellas
digo entre mí que vengáis
en hora mala.

GASENO. ¿No dais
lugar a este caballero?

D. JUAN. Con vuestra licencia quiero
sentarme aquí.

(Siéntase junto a la novia.)

BATRIC. Si os sentáis
delante de mí, señor,
seréis de aquesa manera
el novio.

D. JUAN. Cuando lo fuera,
no escogiera lo peor.

GASENO. ¡Que es el novio!

D. JUAN. De mi error
e ignorancia perdón pido.

CATAL. *(Aparte.)* ¡Desventurado marido!

D. JUAN. *(Aparte a Catal.)* Corrido está.

CATAL. *(Aparte.)* No lo ignoro;
mas si tiene de ser toro,
¿qué mucho que esté corrido?
No daré por su mujer
ni por su honor un cornado.
¡Desdichado tú, que has dado
en manos de Lucifer!

D. JUAN. ¿Posible es que vengo a ser,
señora, tan venturoso?
Envidia tengo al esposo.

AMINTA. Pareceisme lisonjero.

BATRIC. Bien dije que es mal agüero
en bodas un poderoso.

GASENO. Ea, vamos a almorzar,
por que pueda descansar
un rato su señoría.

(Tómale Don Juan la mano a la novia.)

D. JUAN. ¿Por qué la escondéis?

AMINTA. Es mía.

GASENO. Vamos.

BELISA. Volved a cantar.

D. JUAN. ¿Qué dices tú?

CATAL. ¿Yo?, que temo
muerte vil destos villanos.

D. JUAN. Buenos ojos, blancas manos,
en ellos me abraso y quemo.

CATAL. ¡Almagrar y echar a extremo! (1)
Con ésta cuatro serán.

D. JUAN. Ven, que mirándome están.

BATRIC. En mis bodas, caballero,
¡mal agüero!

GASENO. Cantad.

BATRIC. Muero.

CATAL. Canten, que ellos llorarán.

(Vanse todos, con que da fin la segunda jornada.)

---

(1) Aprovecharse y abandonar.

JORNADA TERCERA

Sale BATRICIO, *pensativo*

BATRIC. Celos, reloj de cuidados,
que a todas las horas dais
tormentos con que matáis,
aunque dais desconcertados;
celos, del vivir desprecios,
con que ignorancias hacéis,
pues todo lo que tenéis
de ricos, tenéis de necios,
dejadme de atormentar,
pues es cosa tan sabida
que, cuando amor me da vida,
la muerte me queréis dar.
¿Qué me queréis caballero,
que me atormentáis ansí?
Bien dije cuando le vi
en mis bodas, «¡mal agüero!»
¿No es bueno que se sentó
a cenar con mi mujer,
y a mí en el plato meter
la mano no me dejó?
Pues cada vez que quería
metella la desviaba,
diciendo a cuanto tomaba:
«¡Grosería, grosería!»
Pues llegándome a quejar
a algunos, me respondían

y con risas me decían:
«No tenéis de qué os quejar;
eso no es cosa que importe;
no tenéis de qué temer;
callad, que debe de ser
uso de allá de la corte.»
¡Buen uso, trato estremado!
Más no se usara en Sodoma;
que otro con la novia coma,
y que ayune el desposado.
Pues el otro bellacón
a cuanto comer quería:
«¿Esto no come?», decía;
«No tenéis, señor, razón»;
y de delante al momento
me lo quitaba. Corrido
estó; bien sé yo que ha sido
culebra (1) y no casamiento.
Ya no se puede sufrir
ni entre cristianos pasar;
y acabando de cenar
con los dos, ¿mas que a dormir
se ha de ir también, si porfía,
con nosotros, y ha de ser,
el llegar yo a mi mujer,
«grosería, grosería?»
Ya viene, no me resisto.
Aquí me quiero esconder;
pero ya no puede ser,
que imagino que me ha visto.

Sale DON JUAN TENORIO

D. JUAN. Batricio.
BATRIC. Su señoría
¿qué manda?
D. JUAN. Haceros saber...

(1) Apaleamiento al novato, que se daba en las cárceles, antiguamente.

BATRIC. (*Aparte.*) ¿Mas que ha de venir a ser
alguna desdicha mía?

D. JUAN. Que ha muchos días, Batricio,
que a Aminta el alma le di
y he gozado...

BATRIC. ¿Su honor?

D. JUAN Sí.

BATRIC. (*Aparte.*) Manifiesto y claro indicio
de lo que he llegado a ver;
que si bien no le quisiera
nunca a su casa viniera.
Al fin, al fin es mujer.

D. JUAN. Al fin, Aminta celosa,
o quizá desesperada
de verse de mí olvidada
y de ajeno dueño esposa,
esta carta me escribió
enviándome a llamar,
y yo prometí gozar
lo que el alma prometió.
Esto pasa de esta suerte.
Dad a vuestra vida un medio;
que le daré sin remedio
a quien lo impida, la muerte.

BATRIC. Si tú en mi elección lo pones,
tu gusto pretendo hacer,
que el honor y la mujer
son males en opiniones.
La mujer en opinión
siempre más pierde que gana,
que son como la campana,
que se estima por el son.
Y así es cosa averiguada
qué opinión viene a perder,
cuando cualquiera mujer
suena a campana quebrada.
No quiero, pues me reduces
el bien que mi amor ordena,

mujer entra mala y buena,
que es moneda entre dos luces.
Gózala, señor, mil años,
que yo quiero resistir,
desengañar y morir,
y no vivir con engaños. *(Vase.)*

DON JUAN

Con el honor le vencí,
porque siempre los villanos
tienen su honor en las manos,
y siempre miran por sí.
Que por tantas falsedades,
es bien que se entienda y crea,
que el honor se fué a la aldea
huyendo de las ciudades.
Pero antes de hacer el daño
le pretendo reparar:
a su padre voy a hablar
para autorizar mi engaño.
Bien lo supe negociar:
gozarla esta noche espero.
La noche camina, y quiero
su viejo padre llamar.
Estrellas que me alumbráis,
dadme en este engaño suerte,
si el galardón en la muerte
tan largo me lo guardáis. *(Vase.)*

Salen AMINTA *y* BELISA

BELISA. Mira que vendrá tu esposo:
entra a desnudarte, Aminta.

AMINTA. De estas infelices bodas
no sé qué siento, Belisa.
Todo hoy mi Batricio ha estado
bañado en melancolía,

todo es confusión y celos;
¡mirad qué grande desdicha!
Di, ¿qué caballero es éste
que de mi esposo me priva?
La desvergüenza en España
se ha hecho caballería.
Déjame, que estoy sin seso,
déjame, que estoy corrida.
¡Mal hubiese el caballero
que mis contentos me priva!

BELISA. Calla, que pienso que viene,
que nadie en la casa pisa
de un desposado, tan recio.

AMINTA. Queda adiós, Belisa mía.

BELISA. Desenójale en los brazos.

AMINTA. ¡Plega a los cielos que sirvan
mis suspiros de requiebros,
mis lágrimas de caricias!

Salen DON JUAN, CATALINÓN *y* GASENO

D. JUAN. Gaseno, quedad con Dios.

GASENO. Acompañaros querría,
por dalle desta ventura
el parabién a mi hija.

D. JUAN. Tiempo mañana nos queda.

GASENO. Bien decís: el alma mía
en la muchacha os ofrezco.

D. JUAN. Mi esposa decid. *(Vase.)*
(A Catal.) Ensilla,
Catalinón.

CATAL. ¿Para cuándo?

D. JUAN. Para el alba, que de risa
muerta, ha de salir mañana,
de este engaño.

CATAL. Allá, en Lebrija,
señor, nos está aguardando

otra boda. Por tu vida,
que despaches presto en ésta.

D. JUAN. La burla más escogida
de todas ha de ser ésta.

CATAL. Que saliésemos querría
de todas bien.

D. JUAN. Si es mi padre
el dueño de la justicia,
y es la privanza del rey,
¿qué temes?

CATAL. De los que privan
suele Dios tomar venganza,
si delitos no castigan;
y se suelen en el juego
perder también los que miran.
Yo he sido mirón del tuyo,
y por mirón no querría
que me cogiese algún rayo
y me trocase en ceniza.

D. JUAN. Vete, ensilla, que mañana
he de dormir en Sevilla.

CATAL. ¿En Sevilla?

D. JUAN. Sí.

CATAL. ¿Qué dices?
Mira lo que has hecho, y mira
que hasta la muerte, señor,
es corta la mayor vida,
y que hay tras la muerte infierno.

D. JUAN. Si tan largo me lo fías,
vengan engaños.

CATAL. Señor...

D. JUAN. Vete, que ya me amohinas
con tus temores estraños.

CATAL. Fuerza al turco y al scita,
al persa y al garamante,
al gallego, al troglodita,
al alemán y al japón,
al sastre con la agujita

de oro en la mano, imitando
contino a la *Blanca niña.* *(Vase.)*

DON JUAN

La noche en negro silencio
se estiende, y ya las cabrillas
entre racimos de estrellas
el polo más alto pisan.
Yo quiero poner mi engaño
por obra. El amor me guía
a mi inclinación, de quien
no hay hombre que se resista.
Quiero llegar a la cama.
¡Aminta!

Sale AMINTA *como que está acostada*

AMINTA. ¿Quién llama a Aminta?
¿Es mi Batricio?

D. JUAN. No soy
tu Batricio.

AMINTA. Pues ¿quién?

D. JUAN. Mira
de espacio, Aminta, quién soy.

AMINTA. ¡Ay de mí! ¡Yo soy perdida!
¿En mi aposento a estas horas?

D. JUAN. Estas son las horas mías.

AMINTA. Volveos, que daré voces.
No excedáis la cortesía
que a mi Batricio se debe.
Ved que hay romanas Emilias
en Dos Hermanas también,
y hay Lucrecias vengativas.

D. JUAN. Escúchame dos palabras,
y esconde de las mejillas
en el corazón la grana,
por ti más preciosa y rica.

AMINTA. Vete, que vendrá mi esposo.
D. JUAN. Yo lo soy; ¿de qué te admiras?
AMINTA. ¿Desde cuándo?
D. JUAN. Desde agora.
AMINTA. ¿Quién lo ha tratado?
D. JUAN. Mi dicha.
AMINTA. ¿Y quién nos casó?
D. JUAN. Tus ojos.
AMINTA. ¿Con qué poder?
D. JUAN. Con la vista.
AMINTA. ¿Sábelo Batricio?
D. JUAN. Sí,
que te olvida.
AMINTA. ¿Que me olvida?
D. JUAN. Sí, que yo te adoro.
AMINTA. ¿Cómo?
D. JUAN. Con mis dos brazos.
AMINTA. Desvía.
D. JUAN. ¿Cómo puedo, si es verdad
que muero?
AMINTA. ¡Qué gran mentira!
D. JUAN. Aminta, escucha y sabrás,
si quieres que te lo diga,
la verdad, que las mujeres
sois de verdades amigas.
Yo soy noble caballero,
cabeza de la familia
de los Tenorios, antiguos
ganaderos de Sevilla.
Mi padre, después del rey,
se reverencia y estima,
y en la corte, de sus labios
pende la muerte o la vida.
Corriendo el camino acaso,
llegué a verte, que amor guía
tal vez las cosas de suerte,
que él mismo dellas se olvida.
Vite, adoréte, abraséme,

tanto, que tu amor me anima
a que contigo me case;
mira qué acción tan precisa.
Y aunque lo mormure el reino
y aunque el rey lo contradiga,
y aunque mi padre enojado
con amenazas lo impida,
tu esposo tengo de ser.
¿Qué dices?

AMINTA. No sé qué diga,
que se encubren tus verdades
con retóricas mentiras.
Porque si estoy desposada,
como es cosa conocida,
con Batricio, el matrimonio
no se absuelve aunque él desista.

D. JUAN. En no siendo consumado,
por engaño o por malicia
puede anularse.

AMINTA. En Batricio
todo fué verdad sencilla.

D. JUAN. Ahora bien: dame esa mano,
y esta voluntad confirma
con ella.

AMINTA. ¿Que no me engañas?

D. JUAN. Mío el engaño sería.

AMINTA. Pues jura que cumplirás
la palabra prometida.

D. JUAN. Juro a esta mano, señora,
infierno de nieve fría,
de cumplirte la palabra.

AMINTA. Jura a Dios que te maldiga
si no la cumples.

D. JUAN. Si acaso
la palabra y la fe mía
te faltare, ruego a Dios
que a traición y alevosía
me dé muerte un hombre... *(Ap.)* muerto:

que, vivo, ¡Dios no permita!

AMINTA. Pues con ese juramento
soy tu esposa.

D. JUAN. El alma mía
entre los brazos te ofrezco.

AMINTA. Tuya es el alma y la vida.

D. JUAN. ¡Ay Aminta de mis ojos!
Mañana sobre virillas (1)
de tersa plata estrellada
con clavos de oro de Tíbar (2),
pondrás los hermosos pies,
y en prisión de gargantillas
la alabastrina garganta,
y los dedos en sortijas,
en cuyo engaste parezcan
transparentes perlas finas.

AMINTA. A tu voluntad, esposo,
la mía desde hoy se inclina:
tuya soy.

D. JUAN. *(Ap.)* ¡Qué mal conoces
al *Burlador de Sevilla*! *(Vanse.)*

Salen ISABELA *y* FABIO, *de camino*

ISABELA. ¡Que me robase el dueño,
la prenda que estimaba y más quería!
¡Oh riguroso empeño
de la verdad! ¡Oh máscara del día!
¡Noche al fin, tenebrosa
antípoda del sol, del sueño esposa!

FABIO. ¿De qué sirve, Isabela,
la tristeza en el alma y en los ojos,
si amor todo es cautela,
y en campos de desdenes causa enojos,
si el que se ríe agora
en breve espacio desventuras llora?

---

(1) Adorno del calzado.
(2) Costa de Oro.

El mar está alterado
y en grave temporal, [riesgo] se corre.
El abrigo han tomado
las galeras, duquesa, de la torre
que esta playa corona.

ISABELA. ¿Dónde estamos ahora?

FABIO. En Tarragona.
De aquí a poco espacio
daremos en Valencia, ciudad bella,
del mismo sol palacio.
Divertiráste algunos días en ella,
y después a Sevilla,
irás a ver la octava maravilla.
Que si a Octavio perdiste,
más galán es don Juan, y de Tenorio
solar. ¿De qué estás triste?
Conde dicen que es ya don Juan Tenorio;
el rey con él te casa,
y el padre es la privanza de su casa.

ISABELA. No nace mi tristeza
de ser esposa de don Juan, que el mundo
conoce su nobleza;
en la esparcida voz mi agravio fundo,
que esta opinión perdida
es de llorar mientras tuviere vida.

FABIO. Allí una pescadora
tiernamente suspira y se lamenta,
y dulcemente llora.
Acá viene, sin duda, y verte intenta.
Mientras llamo tu gente,
lamentaréis las dos más dulcemente.

Vase FABIO *y sale* TISBEA

TISBEA. Robusto mar de España,
ondas de fuego, fugitivas ondas.
Troya de mi cabaña,
que ya el fuego, por mares y por ondas,

en sus abismos fragua,
y el mar forma, por las llamas, agua.
¡Maldito el leño sea
que a tu amargo cristal halló carrera,
antojo de Medea,
tu cáñamo primero o primer lino,
aspado de los vientos
para telas de engaños e instrumentos!

ISABELA. ¿Por qué del mar te quejas
tan tiernamente, hermosa pescadora?

TISBEA. Al mar formo mil quejas.
¡Dichosa voz, que en su tormento, agora
dél os estáis riendo!

ISABELA. También quejas del mar estoy haciendo.
¿De dónde sois?

TISBEA. De aquellas
cabañas que miráis del viento heridas
tan vitorioso entre ellas,
cuyas pobres paredes desparcidas
van en pedazos graves,
dando en mil grietas nidos a las aves.
En sus pajas me dieron
corazón del fortísimo diamante;
mas las obras me hicieron,
deste monstruo que ves tan arrogante,
ablandarme de suerte,
que al sol la cera es más robusta y fuerte.
¿Sois vos la Europa hermosa?
¿Qué (1) esos toros os llevan?

ISABELA. A Sevilla
llévame a ser esposa
contra mi voluntad.

TISBEA. Si mi mancilla
a lástima os provoca,
y si injurias del mar os tienen loca,
en vuestra compañía,
para serviros como humilde esclava

(1) *Qué*, por *dónde*.

me llevad; que querría,
si el dolor o la afrenta no me acaba,
pedir al rey justicia
de un engaño cruel, de una malicia.
Del agua derrotado,
a esta tierra llegó don Juan Tenorio,
difunto y anegado:
amparéle, hospedéle en tan notorio
peligro, y el vil güesped
víbora fué a mi planta en tierno césped.
Con palabra de esposo,
la que de esta costa burla hacía,
se rindió al engañoso:
¡mal haya la mujer que en hombres fía!
Fuese al fin y dejóme:
mira si es justo que venganza tome.

ISABELA. ¡Calla, mujer maldita!
Vete de mi presencia, que me has muerto.
Mas si el dolor te incita,
no tienes culpa tú, prosigue el cuento.

TISBEA. La dicha fuera mía.

ISABELA. ¡Mal haya la mujer que en hombres fía!
¿Quién tiene de ir contigo?

TISBEA. Un pescador, Anfriso; un pobre padre
de mis males testigo.

ISABELA. *(Ap.)* No hay venganza que a mi mal tanto
Ven en mi compañía. [le cuadre.

TISBEA. ¡Mal haya la mujer que en hombres fía!
(Vanse.)

Salen DON JUAN *y* CATALINÓN

CATAL. Todo en mal estado está.

D. JUAN. ¿Cómo?

CATAL. Que Octavio ha sabido
la traición de Italia ya,
y el de la Mota ofendido
de ti justas quejas da,

y dice, que fué el recado,
que de su prima le diste
fingido y disimulado,
y con su capa emprendiste
la traición que le ha infamado.
Dice que viene Isabela
a que seas su marido,
y dicen...

D. JUAN. ¡Calla!

CATAL. Una muela
en la boca me has rompido.

D. JUAN. Hablador, ¿quién te revela
tantos disparates junto?

CATAL. ¡Disparate, disparate!
Verdades son.

D. JUAN. No pregunto
si lo son. Cuando me mate
Octavio: ¿estoy yo difunto?
¿No tengo manos también?
¿Dónde me tienes posada?

CATAL. En la calle, oculta.

D. JUAN. Bien.

CATAL. La iglesia es tierra sagrada.

D. JUAN. Di que de día me den
en ella la muerte. ¿Viste
al novio de Dos Hermanas?

CATAL. También le vi ansiado y triste.

D. JUAN. Aminta, estas dos semanas,
no ha de caer en el chiste.

CATAL. Tan bien engañada está,
que se llama doña Aminta.

D. JUAN. ¡Graciosa burla será!

CATAL. ¡Graciosa burla y sucinta,
mas siempre la llorará.

(Descúbrese un sepulcro de Don Gonzalo de Ulloa.)

D. JUAN. ¿Qué sepulcro es éste?

CATAL. Aquí

don Gonzalo está enterrado.

D. JUAN. Éste es al que muerte di.
¡Gran sepulcro le han labrado!

CATAL. Ordenólo el rey ansí.
¿Cómo dice este letrero?

D. JUAN. «Aquí aguarda del Señor,
el más leal caballero,
la venganza de un traidor.»
Del mote reírme quiero.
¿Y habéisos vos de vengar,
buen viejo, barbas de piedra?

CATAL. No se las podrás pelar,
que en barbas muy fuertes medra.

D. JUAN. Aquesta noche a cenar
os aguardo en mi posada.
Allí el desafío haremos,
si la venganza os agrada;
aunque mal reñir podremos,
si es de piedra vuestra espada.

CATAL. Ya, señor ha anochecido;
vámonos a recoger.

D. JUAN. Larga esta venganza ha sido.
Si es que vos la habéis de hacer,
importa no estar dormido,
que si a la muerte aguardáis
la venganza, la esperanza
agora es bien que perdáis,
pues vuestro enojo y venganza
tan largo me lo fiáis.

Vanse y ponen la mesa dos CRIADOS

C. 1.º Quiero apercibir la cena,
que vendrá a cenar don Juan.

C. 2.º Puestas las mesas están.
¡Qué flema tiene si empieza!
Ya tarda como solía,
mi señor; no me contenta;

la bebida se calienta
y la comida se enfría.
Mas, ¿quién a don Juan ordena
esta desorden?

Entran DON JUAN *y* CATALINÓN

D. JUAN. ¿Cerraste?
CATAL. Ya cerré como mandaste.
D. JUAN. ¡Hola! Tráigame la cena.
C. 2.º Ya está aquí.
D. JUAN. Catalinón,
siéntate.
CATAL. Yo soy amigo
de cenar de espacio.
D. JUAN. Digo
que te sientes.
CATAL. La razón
haré.
C. 1.º También es camino
éste, si come con él.
D. JUAN. Siéntate.

(Un golpe dentro.)

CATAL. Golpe es aquél.
D. JUAN. Que llamaron imagino;
mira quién es.
C. 1.º Voy volando.
CATAL. ¿Si es la justicia, señor?
D. JUAN. Sea, no tengas temor.

(Vuelve el Criado, huyendo.)

¿Quién es? ¿De qué estás temblando?
CATAL. De algún mal da testimonio.
D. JUAN. Mal mi cólera resisto.
Habla, responde, ¿qué has visto?
¿Asombróte algún demonio?
Ve tú, y mira aquella puerta:
¡presto, acaba!
CATAL. ¿Yo?

D. JUAN. Tú, pues.
Acaba, menea los pies.

CATAL. A mi agüela hallaron muerta
como racimo colgada,
y desde entonces se suena
que anda siempre su alma en pena.
Tanto golpe no me agrada.

D. JUAN. Acaba.

CATAL. Señor, si sabes
que soy un Catalinón...

D. JUAN. Acaba.

CATAL. ¡Fuerte ocasión!

D. JUAN. ¿No vas?

CATAL. ¿Quién tiene las llaves
de la puerta?

C. 2.º Con la aldaba
está cerrada no más.

D. JUAN. ¿Qué tienes? ¿Por qué no vas?

CATAL. Hoy Catalinón acaba.
¿Mas si las forzadas vienen
a vengarse de los dos?

(Llega Catalinón a la puerta, y viene corriendo; cae y levántase.)

D. JUAN. ¿Qué es eso?

CATAL. ¡Válgame Dios!
¡Que me matan, que me tienen!

D. JUAN. ¿Quién te tiene, quién te [mata]?
¿Qué has visto?

CATAL. Señor, yo allí
vide cuando... luego fuí...
¿Quién me ase, quién me arrebata?
Llegué, cuando después ciego...
cuando vile, ¡juro a Dios!...
Habló y dijo, ¿quién sois vos?
respondió, y respondí luego...
topé y vide...

D. JUAN. ¿A quién?

CATAL. No sé.

D. JUAN. ¡Cómo el vino desatina!
Dame la vela, gallina,
y yo a quien llama veré.

(Toma Don Juan la vela y llega a la puerta. Sale al encuentro Don Gonzalo, en la forma que estaba el sepulcro, y Don Juan se retira atrás turbado, empuñando la espada, y en la otra la vela, y Don Gonzalo hacia él, con pasos menudos, y al compás Don Juan, retirándose hasta estar en medio del teatro.)

D. JUAN. ¿Quién va?

D. GON. Yo soy.

D. JUAN. ¿Quién sois vos?

D. GON. Soy el caballero honrado
que a cenar has convidado.

D. JUAN. Cena habrá para los dos,
y si vienen más contigo,
para todos cena habrá.
Ya puesta la mesa está.
Siéntate.

CATAL. ¡Dios sea conmigo!
¡San Panuncio, San Antón!
Pues ¿los muertos comen, di?
Por señas dice que sí.

D. JUAN. Siéntate, Catalinón.

CATAL. No, señor, yo lo recibo
por cenado.

D. JUAN. Es desconcierto:
¡qué temor tienes a un muerto!
¿Qué hicieras estando vivo?
Necio y villano temor.

CATAL. Cena con tu convidado,
que yo, señor, ya he cenado.

D. JUAN. ¿He de enojarme?

CATAL. Señor,
!vive Dios que güelo mal!

D. JUAN. Llega, que aguardando estoy.

CATAL. Yo pienso que muerto soy,
y está muerto mi arrabal.
(Tiemblan los Criados.)

D. JUAN. Y vosotros, ¿qué decís?
¿Qué hacéis? (1). ¡Necio temblar!

CATAL. Nunca quisiera cenar
con gente en otro país.
¿Yo, señor, con *convidado*
de piedra?

D. JUAN. ¡Necio temer!
Si es piedra, ¿qué te ha de hacer?

CATAL. Dejarme descalabrado.

D. JUAN. Háblale con cortesía.

CATAL. ¿Está bueno? ¿Es buena tierra
la otra vida? ¿Es llano o sierra?
¿Prémiase allá la poesía?

C. 1.º A todo dice que sí,
con la cabeza.

CATAL. ¿Hay allá
muchas tabernas? Si habrá,
si Noé reside allí.

D. JUAN. ¡Hola! dadnos de beber.

CATAL. Señor muerto, ¿allá se bebe
con nieve? *(Baja la cabeza.)*
Así, que hay nieve:
buen país.

D. JUAN. Si oír cantar
queréis, cantarán. *(Baja la cabeza.)*

C. 2.º Sí, dijo.

D. JUAN. Cantad.

CATAL. Tiene el seor muerto
buen gusto.

C. 1.º Es noble, por cierto,
y amigo de regocijo.

---

(1) La *h*, aspirada, para no dejar el verso cojo.

(Cantan dentro):

Si de mi amor aguardáis,
señora, de aquesta suerte
el galardón en la muerte,
¡qué largo me lo fiáis!

CATAL. O es sin duda veraniego
el seor muerto, o debe ser
hombre de poco comer.
Temblando al plato me llego.
Poco beben por allá; *(Bebe.)*
yo beberé por los dos.
Brindis de piedra ¡por Dios!
Menos temor tengo ya.

(Cantan dentro):

Si ese plazo me convida
para que gozaros pueda,
pues larga vida me queda,
dejad que pase la vida.
Si de mi amor aguardáis,
señora de aquesta suerte
el galardón en la muerte,
¡qué largo me lo fiáis!

CATAL. ¿Con cuál de tantas mujeres
como has burlado, señor,
hablan?

D. JUAN. De todas me río,
amigo, en esta ocasión.
En Nápoles a Isabela...

CATAL. Esa, señor, ya no es hoy
burlada, porque se casa
contigo, como es razón.
Burlaste a la pescadora
que del mar te redimió,
pagándole el hospedaje
en moneda de rigor.
Burlaste a doña Ana...

D. JUAN. Calla,
que hay parte aquí que lastó (1)
por ella, y vengarse aguarda.

CATAL. Hombre, es de mucho valor,
que él es piedra, tú eres carne:
no es buena resolución.

(Hace señas que se quite la mesa y queden solos.)

D. JUAN. ¡Hola! quitad esa mesa,
que hace señas que los dos
nos quedemos, y se vayan
los demás.

CATAL. ¡Malo, por Dios!
No te quedes, porque hay muerto
que mata de un mojicón
a un gigante.

D. JUAN. Salíos todos.
¡Al ser yo Catalinón...!
Vete, que viene.

(Vanse, y quedan los dos solos, y hace señas que cierre la puerta.)

D. JUAN. La puerta
ya está cerrada. Ya estoy
aguardando. Di, qué quieres,
sombra o fantasma o visión.
Si andas en pena o si aguardas
alguna satisfacción
para tu remedio, dilo,
que mi palabra te doy
de hacer lo que me ordenares.
¿Estás gozando de Dios?
¿Dite la muerte en pecado?
Habla, que suspenso estoy.

(Habla poco, como cosa del otro mundo.)

D. GON. ¿Cumplirásme una palabra
como caballero?

---

(1) Pagar, sufrir.

D. JUAN. Honor
tengo, y las palabras cumplo,
porque caballero soy.
D. GON. Dame esa mano, no temas.
D. JUAN. ¿Eso dices? ¿Yo temor?
Si fueras el mismo infierno
la mano te diera yo *(Le da la mano.)*
D. GON. Bajo esta palabra y mano,
mañana a la diez estoy
para cenar aguardando.
¿Irás?
D. JUAN. Empresa mayor
entendí que me pedías.
Mañana tu güesped soy.
¿Dónde he de ir?
D. GON. A mi capilla.
D. JUAN. ¿Iré solo?
D. GON. No, los dos;
y cúmpleme la palabra
como la he cumplido yo.
D. JUAN. Digo que la cumpliré;
que soy Tenorio.
D. GON. Yo soy
Ulloa.
D. JUAN. Yo iré sin falta.
D. GON. Yo lo creo. Adiós. *(Va a la puerta.)*
D. JUAN. Adiós.
Aguarda, iréte alumbrando.
D. GON. No alumbres, que en gracia estoy.
(Vase, muy poco a poco, mirando a Don Juan y Don Juan a él, hasta que desaparece, y queda Don Juan con pavor.)

DON JUAN

¡Válgame Dios! Todo el cuerpo
se ha bañado de un sudor,
y dentro de las entrañas

se me hiela el corazón.
Cuando me tomó la mano,
de suerte me la apretó,
que un infierno parecía:
jamás vide tal calor.
Un aliento respiraba,
organizando la voz
tan frío, que parecía
infernal respiración.
Pero todas son ideas
que da la imaginación:
el temor y temer muertos
es más villano temor;
que si un cuerpo noble, vivo,
con potencias y razón
y con alma, no se teme,
¿quién cuerpos muertos temió?
Mañana iré a la capilla
donde convidado soy,
por que se admire y espante
Sevilla de mi valor. *(Vase.)*

Salen el REY, DON DIEGO TENORIO
y acompañamiento

REY. ¿Llegó al fin Isabela?
D. DIEG. Y disgustada.
REY. Pues ¿no ha tomado bien el casamiento?
D. DIEG. Siente, señor, el nombre de infamada.
REY. De otra causa procede su tormento.
¿Dónde está?
D. DIEG. En el convento está alojada
de las Descalzas.
REY. Salga del convento
luego al punto, que quiero que en palacio
asista con la reina más de espacio.
D. DIEG. Si ha de ser con don Juan el desposorio,
manda, señor, que tu presencia vea.

REY. Véame, y galán salga, que notorio.
quiero que este placer al mundo sea
Conde será desde hoy don Juan Tenorio
de Lebrija; él la mande y la posea,
que si Isabela a un duque corresponde,
ya que ha perdido un duque gana un conde.

D. DIEG. Todos por la merced tus pies besamos.

REY. Merecéis mi favor tan dignamente.
que si aquí los servicios ponderamos,
me quedo atrás con el favor presente.
Paréceme, don Diego, que hoy hagamos
las bodas de doña Ana juntamente.

D. DIEG. ¿Con Octavio?

REY. No es bien que el duque Octavio
sea el restaurador de aqueste agravio.
Doña Ana con la reina me ha pedido
que perdone al marqués, porque doña Ana,
ya que el padre murió, quiere marido;
porque si le perdió, con él le gana.
Iréis con poca gente y sin rüido
luego a hablalle a la fuerza (1) de Triana;
por su satisfacción y por su abono
de su agraviada prima, le perdono.

D. DIEG. Ya he visto lo que tanto deseaba.

REY. Que esta noche ha de ser, podéis decille,
los desposorios.

D. DIEG. Todo en bien se acaba.
Fácil será al marqués el persuadille,
que de su prima amartelado estaba.

REY. También podéis a Octavio prevenille.
Desdichado es el duque con mujeres;
son todas opinión y pareceres.
Hanme dicho que está muy enojado
con don Juan.

D. DIEG. No me espanto si ha sabido
de don Juan el delito averiguado,

---

1) Por fortaleza.

que la causa de tanto daño ha sido.
el duque viene.

REY. No dejéis mi lado,
que en el delito sois comprehendido.

Sale el DUQUE OCTAVIO

OCTAV. Los pies, invicto rey, me dé tu alteza.
REY. Alzad, duque, y cubrid vuestra cabeza.
¿Qué pedís?
OCTAV. Vengo a pediros,
postrado ante vuestras plantas,
una merced, cosa justa
digo de serme otorgada.
REY. Duque, como justa sea
digo que os doy mi palabra
de otorgárosla. Pedid.
OCTAV. Ya sabes, señor, por cartas
de tu embajador, y el mundo
por la lengua de la fama
sabe, que don Juan Tenorio,
con española arrogancia,
en Nápoles una noche,
para mí noche tan mala,
con mi nombre profanó
el sagrado de una dama.
REY. No pases más adelante,
Ya supe vuestra desgracia.
En efecto: ¿qué pedís?
OCTAV. Licencia que en la campaña
defienda como es traidor.
D. DIEG. Eso no. Su sangre clara
es tan honrada...
REY. ¡Don Diego!
D. DIEG. Señor.
OCTAV. ¿Quién eres que hablas
en la presencia del rey
de esa suerte?

D. DIEG. Soy quien calla
porque me lo manda el rey;
que si no, con esta espada
te respondiera.
OCTAV. Eres viejo.
D. DIEG. Ya he sido mozo en Italia,
a vuestro pesar, un tiempo;
ya conocieron mi espada
en Nápoles y en Milán.
OCTAV. Tienes ya la sangre helada.
No vale *fuí*, sino *soy*.
D. DIEG. Pues fuí y soy. *(Empuña.)*
REY. Tened; basta;
bueno está. Callad, don Diego,
que a mi persona se guarda
poco respeto. Y vos, duque,
después que las bodas se hagan,
más de espacio hablaréis.
Gentilhombre de mi cámara.
es don Juan, y hechura mía;
y de aqueste tronca rama:
mirad por él.
OCTAV. Yo lo haré,
gran señor, como lo mandas.
REY. Venid conmigo, don Diego.
D. DIEG. *(Aparte.)* ¡Ay hijo! ¡qué mal me pagas
el amor que te he tenido!
REY. Duque.
OCTAV. Gran señor.
REY. Mañana
vuestras bodas se han de hacer.
OCTAV. Háganse, pues tú lo mandas.

Vanse el REY *y* DON DIEGO, *y salen*
GASENO *y* AMINTA

GASENO Este señor nos dirá
dónde está don Juan Tenorio.

Señor, ¿si está por acá
un don Juan a quien notorio
ya su apellido será?

OCTAV. Don Juan Tenorio diréis.

AMINTA. Sí, señor; ese don Juan.

OCTAV. Aquí está: ¿qué le queréis?

AMINTA. Es mi esposo ese galán.

OCTAV. ¿Cómo?

AMINTA. Pues, ¿no lo sabéis
siendo del Alcázar vos?

OCTAV. No me ha dicho don Juan nada.

GASENO. ¿Es posible?

OCTAV. Sí, por Dios.

GASENO. Doña Aminta es muy honrada.
Cuando se casen los dos,
que cristiana vieja es
hasta los güesos, y tiene
de la hacienda el interés,

. . . .

más bien que un conde, un marqués.
Casóse don Juan con ella,
y quitósela a Batricio.

AMINTA. Decid cómo fué doncella
a su poder.

GASENO. No es juicio
esto, ni aquesta querella.

OCTAV. *(Aparte.)* Esta es burla de don Juan,
y para venganza mía,
éstos diciéndola están.
¿Qué pedís, al fin?

GASENO. Querría,
porque los días se van,
que se hiciese el casamiento,
o querellarme ante el rey.

OCTAV. Digo que es justo ese intento.

GASENO. Y razón y justa ley.

OCTAV. *(Aparte.)* Medida a mi pensamiento
ha venido la ocasión.

En el Alcázar tenéis
bodas.

AMINTA. ¿Si las mías son?

OCTAV. *(Aparte.)* Quiero, para que acertemos,
valerme de una invención.
Venid donde os vestiréis,
señora, a lo cortesano,
y a un cuarto del rey saldréis
conmigo.

AMINTA. Vos de la mano
a don Juan me llevaréis.

OCTAV. Que de esta suerte es cautela.

GASENO. El arbitrio me consuela.

OCTAV. *(Aparte.)* Éstos venganza me dan
de aqueste traidor don Juan
y el agravio de Isabela. *(Vanse.)*

Salen DON JUAN *y* CATALINÓN

CATAL. ¿Cómo el rey te recibió?

D. JUAN. Con más amor que mi padre.

CATAL. ¿Viste a Isabela?

D. JUAN. También.

CATAL. ¿Cómo viene?

D. JUAN. Como un ángel.

CATAL. ¿Recibióte bien?

D. JUAN. El rostro
bañado de leche y sangre,
como la rosa que al alba
revienta la verde cárcel.

CATAL. ¿Al fin, esta noche son
las bodas?

D. JUAN. Sin falta.

CATAL. [Si antes]
hubieran sido, no hubieras,
señor, engañado a tantas;
pero tú tomas esposa,
señor, con cargas muy grandes.

D. JUAN. Di: ¿comienzas a ser necio?
CATAL. Y podrás muy bien casarte
mañana, que hoy es mal día.
D. JUAN. Pues ¿qué día es hoy?
CATAL. Es martes.
D. JUAN. Mil embusteros y locos
dan esos disparates.
Sólo aquel llamo mal día,
aciago y detestable,
en que no tengo dineros;
que lo demás es donaire.
CATAL. Vamos; si te has de vestir,
que te aguardan, y ya es tarde.
D. JUAN. Otro negocio tenemos
que hacer, aunque nos aguarden.
CATAL. ¿Cuál es?
D. JUAN. Cenar con el muerto.
CATAL. Necedad de necedades.
D. JUAN. ¿No ves que di mi palabra?
CATAL. Y cuando se la quebrantes,
¿qué importa? ¿Ha de pedirte
una figura de jaspe
la palabra?
D. JUAN. Podrá el muerto
llamarme a voces infame.
CATAL. Ya está cerrada la iglesia.
D. JUAN. Llama.
CATAL. ¿Qué importa que llame?
¿Quién tiene de abrir, que están
durmiendo los sacristanes?
D. JUAN. Llama a este postigo.
CATAL. Abierto
está.
D. JUAN. Pues entra.
CATAL. Entra un fraile
con su hisopo y estola.
D. JUAN. Sígueme y calla.
CATAL. ¿Que calle?

D. JUAN. Sí.

CATAL. Dios en paz.
destos convites me saque.
(Entran por una puerta y salen por otra.)
¡Qué escura que está la iglesia,
señor para ser tan grande!
¡Ay de mí! ¡Tenme, señor,
porque de la capa me asen!

Sale DON GONZALO *como de antes, y encuéntrase con ellos*

D. JUAN. ¿Quién va?

D. GON. Yo soy.

CATAL. ¡Muerto estoy!

D. GON. El muerto soy, no te espantes.
No entendí que me cumplieras
la palabra, según haces
de todos burla.

D. JUAN. ¿Me tienes
en opinión de cobarde?

D. GON. Sí, que aquella noche huíste
de mí cuando me mataste.

D. JUAN. Huí de ser conocido;
mas ya me tienes delante.
Di presto lo que me quieres.

D. GON. Quiero a cenar convidarte.

CATAL. Aquí escusamos la cena,
que toda ha de ser fiambre,
pues no parece cocina.

D. JUAN. Cenemos.

D. GON. Para cenar
es menester que levantes
esa tumba.

D. JUAN. Y si te importa,
levantaré esos pilares.

D. GON. Valiente estás.

D. JUAN. Tengo brío

y corazón en las carnes.

CATAL. Mesa de Guinea (1) es ésta.
Pues ¿no hay por allá quien lave?

D. GON. Siéntate.

D. JUAN. ¿Adónde?

CATAL. Con sillas
vienen ya dos negros pajes.

(Entran dos enlutados con dos sillas.)

¿También acá se usan lutos
y bayeticas de Flandes?

D. GON. Siéntate tú.

CATAL. Yo, señor,
he merendado esta tarde.

D. GON. No repliques.

CATAL. No replico.
Dios en paz de esto me saque.
¿Qué plato es éste, señor?

D. GON. Este plato es de alacranes
y víboras.

CATAL. ¡Gentil plato!

D. GON. Éstos son nuestros manjares.
¿No comes tú?

D. JUAN. Comeré.
si me dieses áspid y áspides
cuantos el infierno tiene.

D. GON. También quiero que te canten.

CATAL. ¿Qué vino beben acá?

D. GON. Pruébalo.

CATAL. Hiel y vinagre
es este vino.

D. GON. Este vino
esprimen nuestros lagares.

(Cantan):

Advierten los que de Dios
juzgan los castigos grandes,

(1) De color negro.

que no hay plazo que no llegue
ni deuda que no se pague.

CATAL. ¡Malo es esto, vive Cristo!,
que he entendido este romance,
y que con nosotros habla.

D. JUAN. Un hielo el pecho me parte.

(Cantan):

Mientras en el mundo viva,
no es justo que diga nadie:
¡qué largo me lo fiáis!
siendo tan breve el cobrarse.

CATAL. ¿De qué es este guisadillo?

D. GON. De uñas.

CATAL. De uñas de sastre
será, si es guisado de uñas.

D. JUAN. Ya he cenado: haz que levanten
la mesa.

D. GON. Dame esa mano;
no temas, la mano dame.

D. JUAN. ¿Eso dices? ¿Yo, temor?
¡Que me abraso! ¡No me abrases
con tu fuego!

D. GON. Esto es poco
para el fuego que buscaste.
Las maravillas de Dios
son don Juan, investigables (1),
y así quiere que tus culpas
a manos de un muerto pagues,
y si pagas desta suerte,
ésta es justicia de Dios:
«quien tal hace, que tal pague».

D. JUAN. ¡Que me abraso, no me aprietes!
Con la daga he de matarte.
Mas ¡ay! que me canso en vano

(1) Ininvestigables.

de tirar golpes al aire.
A tu hija no ofendí,
que vió mis engaños antes.

D. GON. No importa, que ya pusiste
tu intento.

D. JUAN. Deja que llame
quien me confiese y absuelva.

D. GON. No hay lugar; ya acuerdas tarde.

D. JUAN. ¡Que me quemo! ¡Que me abraso!
¡Muerto soy! *(Cae muerto.)*

CATAL. No hay quien se escape,
que aquí tengo de morir
también por acompañarte.

D. GON. Ésta es justicia de Dios:
«quien tal hace, que tal pague».

Húndese el sepulcro con Don Juan y Don Gonzalo, con mucho ruido, y sale Catalinón arrastrando.

CATAL. ¡Válgame Dios! ¿Qué es aquesto?
Toda la capilla se arde,
y con el muerto he quedado
para que le vele y guarde.
Arrastrando como pueda
iré a avisar a su padre.
¡San Jorge, San *Agnus Dei*,
sacadme en paz a la calle! *(Vase.)*

Salen el REY, DON DIEGO *y acompañamiento*

D. DIEG. Ya el marqués, señor, espera
besar vuestros pies reales.

REY. Entre luego y avisad
al conde, porque no aguarde.

Salen BATRICIO *y* GASENO

BATRIC. ¿Dónde, señor, se permite
desenvolturas tan grandes,
que tus criados afrenten

a los hombres miserables?

REY. ¿Qué dices?

BATRIC. Don Juan Tenorio,
alevoso y detestable,
la noche del casamiento,
antes que le consumase,
a mi mujer me quitó;
testigos tengo delante.

Salen TISBEA, ISABELA *y acompañamiento*

TISBEA. Si vuestra alteza, señor,
de don Juan Tenorio no hace
justicia, a Dios y a los hombres,
mientras viva, he de quejarme.
Derrotado le echó el mar;
dile vida y hospedaje,
y pagóme esta amistad
con mentirme y engañarme
con nombre de mi marido.

REY. ¿Qué dices?

ISABELA. Dice verdades.

Salen AMINTA *y el* DUQUE OCTAVIO

AMINTA. ¿Adónde mi esposo está?

REY. ¿Quién es?

AMINTA. Pues ¿aun no lo sabe?
El señor don Juan Tenorio,
con quien vengo a desposarme,
porque me debe el honor,
y es noble y no ha de negarme.
Manda que nos desposemos.

Sale el MARQUÉS DE LA MOTA

MOTA. Pues es tiempo, gran señor,
que a luz verdades se saquen,

sabrás que don Juan Tenorio
la culpa que me imputaste
tuvo él, pues como amigo,
pudo el cruel engañarme;
de que tengo dos testigos.

REY. ¿Hay desvergüenza tan grande?
prendelde y matalde luego.

D. DIEG. En premio de mis servicios
haz que le prendan y pague
sus culpas, porque del cielo
rayos contra mí no bajen,
si es mi hijo tan malo.

REY. ¡Esto mis privados hacen!

Sale CATALINÓN

CATAL. Señores, todos oíd
el suceso más notable
que en el mundo ha sucedido,
y en oyéndome, matadme.
Don Juan, del Comendador
haciendo burla, una tarde,
después de haberle quitado
las dos prendas que más valen,
tirando al bulto de piedra
la barba por ultrajarle,
a cenar le convidó:
¡nunca fuera a convidarle!
Fué el bulto y convidóle;
y agora porque no os canse,
acabando de cenar,
entre mil presagios graves,
de la mano le tomó,
y le aprieta hasta quitalle
la vida, diciendo: «Dios
me manda que así te mate,
castigando tus delitos.
Quien tal hace, que tal pague.»

REY. ¿Qué dices?
CATAL. Lo que es verdad,
diciendo antes que acabase,
que a doña Ana no debía
honor, que lo oyeron antes
del engaño.
MOTA. Por las nuevas
mil albricias pienso darte.
REY. ¡Justo castigo del cielo!
Y agora es bien que se casen
todos, pues la causa es muerta,
vida de tantos desastres.
OCTAV. Pues ha enviudado Isabela,
quiero con ella casarme.
MOTA. Yo con mi prima.
BATRIC. Y nosotros
con las nuestras, porque acabe
El Convidado de piedra.
REY. Y el sepulcro se traslade
en San Francisco en Madrid,
para memoria más grande.